六鹿文彦の戦車モデラー的独り言

今日もなんとかやってます!

六鹿文彦 著

大日本絵画

全ての始まりの時

２００６年夏
某イベント会場
こんにちは
六鹿さんですよね
あ はい
コミケ？ ワンフェス？
アーマーモデリングで
イラストを
描きませんか？
え？
ボクは六鹿さんの
絵ならアーマー誌上で
いけると思うんです
編集会議で通しますよ
はぁ
マジ話なのコレ
この時の編集さんが
尾崎正登氏でした
では後日
メールを
出しますんで！
この本が出たことを
天国で喜んで
くれていると良いのですが

※尾崎正登（おざき・まさと）
本書の著者である六鹿氏を「読者の声」タイトルカットに起用した『月刊アーマーモデリング』編集員。AFV、とくにトラックなどのソフトスキン系車両の製作で定評があるモデラーでもあり、長らく模型サークルのホイールナッツの会でも活躍していたが、2007年に急逝。

はじめに

～壮大な才能の無駄遣いのつじつま合わせ～

本書は２００６年11月から始まり、現在も続いている戦車模型専門誌『月刊アーマーモデリング』の読者投稿欄「読者の声」の六鹿文彦氏画によるタイトルカットを集めたものです（※「読者の声」コーナー自体はアーマーモデリング創刊時からあります）。

まれに映画やテレビドラマなどで「なんでこんな有名な俳優さん（あるいは女優さん）が、こんなチョイ役で出てるの!?」とびっくりするような贅沢な使われ方をしているシーンを目にすることがありますが、『月刊アーマーモデリング』における六鹿氏のタイトルカット起用もそうした例といえるでしょう。

ゲームクリエイター、ミリタリーイラストレーター、また同人作家としての幅広い氏の活躍を知る人には、「我々の六鹿氏をよくもこんな端役に」と憤りを覚えられてもおかしくないような使い方を長年続けている（現在進行形）わけです。

これはたいへん恐れ多いことといわねばなりません。

しかし、そこはそれとして、

「六鹿さんのカットは読み捨てるにはもったいない」

「まとめて読んでみたい」

というリクエストがちらほら寄せられているのも事実でした。

そうした声にお応えして実現したのが本書。

単行本化にあたっては六鹿氏の貴重な証言（？）と一部ラフカット、ならびに候補案のラフを掲載、また氏がモデラーとして作例を担当した模型の記事なども収録しました。

これでいったん「才能の無駄使い」との世間からの批判の矛先をかわし、次なるステージへの足がかり（次なるステージってなんだ?）とすることができればと、担当編集は勝手に思っています。

それでは、めくるめく六鹿ワールドへ足を運んでみましょう。

『月刊アーマーモデリング』は毎月13日に発売されている日本唯一の戦車模型専門雑誌（2021年6月現在、編集部調べ）。その読者投稿欄「読者の声」に添えられている六鹿氏のタイトルカットを集めたのが本書だ

ちょっと紹介

六鹿文彦的アーマーモデリングでのお仕事

月刊アーマーモデリング『読者の声』コーナーカットでおなじみの六鹿氏。
それ以外にもこんな活躍をしているのだ

みりたりぃアネクドート挿絵

俺のパクリのくせに…
待ち伏せなんてツマらないぜ!!
俺の機動戦を見ろ〜〜!!
元気だな彼。

『月刊アーマーモデリング』2006年11月号の「読者の声」登場と同時に、当時連載中だった宇垣大成氏の「みりたりぃアネクドート」の挿絵師としても起用。これは同記事の第7回目にあたった。上はその第7回「ドイツⅢ号戦車の後継はⅣ号戦車かⅤ号戦車か？」のために起稿されたもの

ドイツ軍の最強戦車軍団完成だぁ〜〜
Ⅱ号戦車ばかりで「最強」？
ってゆーかこんなにプラモを並べるなんて金持ちな子供だよ
見てくれよこの袖口!!削りこんでほしいよな
大隊本部車輌なら指揮戦車に改造するほうが良いのでは？ いいのかな？
俺もパーティングラインが残ってるよ
工作の基本はしっかりしてほしいな
まぁ子供だしなぁ
俺…この戦争が終わったら結婚するんだ
…死ぬぞ お前
早く起こしてくれ

同じく「みりたりぃアネクドート」の第8回「ダイオラマを通じたミリタリーモデルの発展」の挿絵。フィギュアの目線で語られるボヤキにニンマリ。宇垣氏の本文は「戦車模型と情景模型はいつからコネクトしたのか」「これからどこへ向かっていくのか」という内容だった／『月刊アーマーモデリング』2006年12月号掲載

八九式《ハチキュー》中戦車
今から約80年前、旧日本陸軍が初めて量産した戦車。アメリカもドイツもまともな戦車を開発していなかった頃、世界水準の戦車を量産していたのは、当時の日本の工業力を考えるとかなり頑張っていたと言っていいぞ。
詳細は次号!!
コロッとした車体に短かい砲身、超かわいいぜ「女学生が選ぶ可愛い戦車」で一位になったのも当然だな
ウソです
「3分割フロク」がまさか「前部」「中央」「後部」の3分割とは意外だった…
違います
こんな低い位置に出入口があるのは当時からバリアフリーが考えられていたからなんですよ…
ウソです
ファインモールド謹製
フェンダーとキャタピラの間という分かりづらい所にピストルポートがあるから気をつけろ
本当
アッズルイと言う前に撃たれるからな!
3号目だけ大量に買い占めたら高値で転売できそうですわねー
やめなさい
鉄牛乙子さん（仮名）

月刊モデルグラフィックス
2010年10月号掲載

こちらは『月刊アーマーモデリング』3号連続マガジンキット（付録）の発売に合わせて姉妹誌『月刊モデルグラフィックス』で展開された応援記事用のイラスト。乙子さんのセリフの通り、この次の号ではキットパーツの内容や作例などが掲載された

我がヘルマンゲーリング師団の猛戦ぶりを、
ボクちゃんのカワイイ部下ちゃんたちが
モヘっと紹介するぞ!!
イラスト／六鹿文彦
ドイツ空軍最高司令官
ヘルマン・ゲーリング
こう見えてもヒトラーの次にエライ人なんだー！
1933年
特別編成警察大隊“ヴェッケ”
1935年
連隊“ゲネラール・ゲーリング”（GG）
1942年
旅団“ヘルマン・ゲーリング”（HG）
1942年
師団“ヘルマン・ゲーリング”（HG）
フランス戦では
連隊GGの
88mm高射砲と
戦車の一騎打ちが
発生。
師団昇格当時の戦車は
III号戦車（50ミリ砲L/60）
IV号戦車（75ミリ砲L/43・L/48）
突撃砲（75ミリ砲L/24）
などなど。割とフツー。
北アフリカ
全滅
残余部隊で師団HG再建
シチリア
HG師団専用メカ
sd.kfz.251/17(通称)。
ゲーリング専用メカだから
空軍パーソナルカラーの
ブルーグレイに塗られて
いた。嘘。
高射砲で戦車を撃つより卑怯だろ！
シチリア戦での
「戦車対軍艦」の戦いは
当時HG師団麾下だった
第504重戦車大隊の
ティーガーが
やらかしたんだ。
もちろん負けたけど。
4号駆逐戦車を初めて実戦で使用したのはHG師団……らしい。本当？
西部戦線
オランダのHG教育部隊が
そのまま実戦へ。
それなりに奮闘。
撤退
イタリア
転戦
東部戦線
1945年4月には1日でソ連戦車43両を撃破！
さらに12両（内4輛がJS-2）を鹵獲して使用。
頼もしすぎる。
＜素朴な質問＞
そもそも、どうして空軍が戦車師団なんか持ってるんですか？
んなもん俺が欲しいからに決まってんだろ！
参考文献：「ヘルマン・ゲーリング”戦車師団史」上・下

[特集]発令、製作せよ!
FALLSCHIRMPANZERKORPS "HERMANN GÖRING"
ヘルマンゲーリング戦車師団

月刊アーマーモデリング
2007年11月号掲載

こちらは単行本『ヘルマンゲーリング戦車師団史』の発売紹介を兼ねて組まれた『月刊アーマーモデリング』2007年11月号の第2特集用のイラスト。右イラストだけで同師団の成り立ちから装備兵器まで一覧できる、秀逸な構成となっていた。下2枚はヘルマンゲーリングの私兵的存在から国防軍の一部へ発展する様子や、陸上戦闘兵力でありながら紺青系を基調とする軍装を揃えた様子を紹介する記事に添えられた

ダサい制服禁止!!
やっぱり空軍はセンスが違うわよね！
地上部隊まで青い制服って……
空軍野戦部隊はでっかい足手まといです。

師団数を拡張したいなぁ～
総統閣下ぁ
私、地上部隊も欲しいンですぅ～
地上兵力は陸軍のなンだから！
描いてて嫌ンなってきた…

キャラ紹介

A:女の子たち

その時々に思いつくまま描いているので、全くまとまりがない。メインキャラを設定しておけばこんな時に困ることも無かったのだけど、こんな単行本を出すことになるなんて想像できるわけがないじゃん？

作る前にお読みください

Думайте по-русски.

あと、どこかで見たような女の子もよく出てくるけどたいてい気のせいです（とは言うものの、着色すると言い逃れできない雰囲気になった！）。

C:メカ

真面目に描いた戦車もあればどう見ても正気じゃないものまで各種取り揃えております。

B:兵隊さん

1/35 フィギュアのキットを元ネタにした大喜利イラストに登場する兵士達。女の子に変換されてることも多い。

※塗装指示は古代ドラゴソ語でのカラー表記です。ご注意ください。

D:戦車少女

作者が20世紀末から描いている、いわゆる兵器擬人化キャラ。作者の個人的趣味でソ連戦車が多い。表紙にも登場したロジーナ（T-34）がメインキャラ。なお、改良（？）のため細部デザインを予告なく変更することがあるので、細かいことは気にしないこと。

K兵衛（KV-1）
のデザインの変遷

2001年
同人誌表紙
2009年
P56～参照！
2020年
ラフ

ロジーナ
（T-34/76 1942年型
ソフトエッジ砲塔仕様）

魔戦車少女　ナナ
（BT-7 1937年型）

G:アイドル歌手

この本に
アイドル歌手は
登場しません

F:キューティー

詳しくは『戦車模型低級技術指南』参照

模型の妖精なんですけど！
知名度抜群？なんですけど
嘘をつきました
オレモ出セ

E:モデラー

主にツッコミ担当。
作者の同人誌に登場するモデラーの流用。

※グレーのパーツは不要部品です。

目★次

本書をお読みいただく前に

★本書は六鹿文彦氏による、戦車模型専門誌『月刊アーマーモデリング』「読者の声」コーナーのタイトルカットを集めたものです。

★『月刊アーマーモデリング』は毎月13日発売です。発売月の次の月が「月号表記」となっているので、1月号（12月13日発売）がクリスマス&年末ネタになっていたり、2月号（1月13日発売）がお正月ネタになっていたりします。あらかじめご了承ください。

★登場する人物、団体、インジェクションプラスチックキット、業界における出来事などは実在するものと架空のものが混在していますが、優しい心でご覧ください。

ジュン
誰やねん
かかりすぎだ…！
色々と整備中。
※ 逃げるか負けるかします
塗装の時は換気をしないと党に報告しますよ
誰？
報告されても
ずっと俺のターン！
ずっと俺のターンというのもあるのか
ねーよ
私のために…
履いてるな～
ドイツ歩兵＋市民少女（靴磨き）セット
注意！変な人出没
100号
だから痩せろとあれほど言ったのに!!
腹つっかえるでぶ～
何ですかその白旗
お前は黙ってろ！
がんばれ！
「ファイト一発」禁止!!
腐女子？
しかも何で写真撮影？
ドイツ軍に……
エル アラメイン 194
自走砲化して戦力化しましょ
CO2 削減のため馬で牽くんだ！
燃料無いだけでしょ？
設営
走っちゃらめ～
がんばれ！ワンフェスセット
英仏海峡横断ポンツーンセット
全長約 1Km のビッグモデル！
5万体セット！
でも中のフィギュアは全員全く違うポーズなんだぜ？
細かいことはいいんですよ！
ソ連軍山岳兵 1942 セット
ははは こっちこっち
ドイツ兵の水浴。
ドイツ監視塔
だと思ったら
こわいよ～
やぁん
対戦車虎セット
スコットランド男の勇気！
こいつは大物だぞ！
ウクライナの主？
ヴィーキング師団
コックリさんセット
新年号
タミヤがBT-7を発表
妙にモコモコした馬だな…ていう
遅刻 遅刻～

Chapter1

月刊アーマーモデリング「読者の声」タイトルカット

2006.11～2014.2

お、お便り
感謝で
あります
いいのかなぁ
…てゆ～か
誰？

記念すべき「読者の声」登場第1回目イラストなのです！

記念すべき第１回目。「何でも良いから女の子を好きなように描いて」と言われたけど、あまり突拍子もない絵でもなと考えた結果、戦車模型誌らしく無難（無難？）にドイツ戦車兵コスチューム少女となった次第。
女性フィギュア作例が掲載された時には苦情がいっぱい来たと聞いていたので、これも怒られるかと心配したがそういうのは特に無かったらしい……ホントかな？

月刊アーマーモデリング2006年11月号（No.85）
（特集）パンターG1945　スマートキットで再現するドイツ本土防衛戦／掲載

01

ラッカー塗料の甘い匂いに何度やられたことか

模型誌なのだから、その時の新製品や有名なフィギュアをネタにすれば良いと思い付き、ICMの『1945年5月ソ連兵士4体セット』の女性兵士を少女化。なにしろ依頼は「“女の子”を描いて」だからね！　という一分の隙も無い（本人談）理論。
ソ連軍なのはもちろん個人的な趣味であり通常運転。

ICMの新作フィギュア風
（でも持ってるのはハンドピース）
寒くても
換気を
しっかり
するのだよ
同志諸君
原案

02

いくら寒くても
塗装の時は
換気をしないと
党に報告
しますよ
報告されてもなぁ

月刊アーマーモデリング2006年12月号（No.86）
（特集）ヴィネットってなんだろう？　ベース上の短編小説／掲載

住所を書かない人には賞品を送ることができないのだわ
それはともかくお茶の時間よ
ジュン
誰やねん

月刊アーマーモデリング2007年1月号（No.87）
（特集）ファイアフライ　ティーガーを撃破せよ！／掲載

イギリス戦車とティータイムは切っても切れません

掲載号の特集ネタに絡めてみようシリーズ第一作。
ファイアフライ→イギリス→紅茶ときて、紅茶といえばローゼンなメイデンの人であろう（描いた当時）という連想ゲームで出来上がった。
ダージリン様を先取り……と言っても誰でも考えそうなネタだし、それよりもまだ３回目なのに好き勝手しすぎ。すぐ調子にのりすぎだぞ俺。

さあティータイムよ
採用
タスカの戦車兵ポーズ

03

この場合、それだけ楽しんだということです！

日本戦車特集なので帝国陸軍戦車兵少女。
「５日でできるとされた～」は映画のキャッチコピーのパロディだけど、元ネタは……『硫黄島からの手紙』？
その時の勢いだけで描いているので、描いた本人も後で元ネタを思い出せないことが稀によくある。困らない。
それはともかく太眉女の子キャラは良い。心が洗われるようだ。

5日でできるとされたストレート組みた
36日間もかけた男達がいた…
原案
九七式
一式改
三式砲
・流行りもの（？）ネタ

04

５日で終わるとされたストレート組みに３６日間もかけた男達がいた・・・
がんばれ！
かかりすぎだ…！
TYPE 3 "HONI-III"
三式砲戦車［ホニIII］
ファインモ
SHINHOTO CHI-HA
九七式中戦車［新砲塔チハ

月刊アーマーモデリング2007年2月号（No.88）
（特集）鉄獅子、南へ　日本戦車隊 苦闘の日々／掲載

女の子が真剣な表情で何かに集中しているのが、まぁ♡

これは何を意図したのか全然分からない、女の子がただ何かを整備しているだけの絵。〆切りが早まる年末進行でもないし、ネタを思いつかなかくて無難な絵を描いただけなのか……？
などと色々考えたところで、そもそも何かのネタとかでなくても良いんだということに今さらながら気付いた。

色々と
整備中。

月刊アーマーモデリング2007年3月号（No.89）
(特集)ディテールアップはおもしろい!!／掲載

05

悔しいけどメイクさんはフィギュアの塗装もうまいんだよなー

特集ネタで、「迷彩術」を女の子変換して「メイク術」。メイク術といえば豪華なアイリーンさんであり（※個人のイメージです）。イタリア兵にしたのは、この当時にイタリア戦車兵セットが出たから？（曖昧）
定番のイタリア弱いネタだけど、ボードゲームの影響でアリエテ師団は頼りになる印象が（個人のイメージ）。

ワンランク上を目指す
迷彩術
化粧術
戦いのメイク！
※逃げるか負けるかします

月刊アーマーモデリング2007年4月号（No.90）
(特集)ワンランク上を目指す迷彩／掲載

06

1919年6月にフランスで調印された条約です(勉強になるなぁ)

模型趣味あるあるシリーズといったところか。
頭を抱える兵士がマスターボックスのフィギュアなのはいいとして、この女の子は自分がデザインしなさそうなキャラなので、元になったアニメキャラがいそうだけどこれまた全く思い出せないので詳細は不明。年代的には『まなびストレート』が怪しいと思ったけど違う模様。

これ以上作らないプラモを増やすわけにはいきません。
購入禁止!
そんな御無体な…
(後のベルサイユ条約である)

■月刊アーマーモデリング2007年5月号(Vol.91)
(特集)やっぱりⅢ突Gがスキ♪　ドイツ軍車両のなかでも圧倒的な存在感を持つⅢ号突撃砲“G型”の魅力を徹底検証!!／掲載

07

些細なことで流血沙汰にならないようにしましょう

これは見たままマスターボックスの白兵戦セットネタ。ネタになるアイドルグループがモー娘。というところに時代を感じる。もう少し後だと確実にAKB48になるはず(この当時のAKBはメジャーデビュー直後で無名)。
必死の白兵戦と女の子の絵とのギャップがくだらなくて面白いと好評だった［どの層に?］。なおこの女の子は思いつくまま適当に描いたのでモデル等は無し。

08

争わないで!私のために…
誰?
本当は「モー娘。で誰が一番か」でモメています。

月刊アーマーモデリング2007年6月号(No.92)
(特集)ドイツ擲弾兵の頼れる“足”SPW大集結!　Sd.Kfz.251 PERFECT GUIDE／掲載

ずっと俺のターン！
「ずっと俺のターン」！
そういうのもあるのか
ねーよ

これは会話型のカードゲーム？（孤独のグ●メっぽくもありますね）

マスターボックス『トランプをするドイツ戦車兵』……は良いけど、トランプ＝カードバトルだからってこれはいけませんよー？　加減しろ莫迦！
さすがに担当さんに苦言を呈された気がする。

月刊アーマーモデリング2007年7月号（No.93）
（特集）壊れた戦車　KNOCK OUT the PANZER!／掲載

09

王子様がこの状態のシンデレラに惚れたのなら、本物の愛です（？）

ICMの『ドイツ兵士＋市民（靴磨き）4体』セット。最初からはっきり書いてるのも珍しいかも。
靴磨きの少年は例によって少女に変換。お気づきの方もいるかと思うが、拙作『特攻元帥』（星空めてお原作）のチェルシーであり、きっと近くに多砲塔戦車の子供“のこたん”が隠れているに違いない。

いい靴履いてるなー
ドイツ歩兵＋市民
（~~少年~~少女・靴磨き）セット

10

月刊アーマーモデリング2007年8月号（No.94）
（特集）実在しない“ホンモノ”の戦車／掲載

この飴とお嬢ちゃんの犬福のぬいぐるみを交換しないかい？

マスターボックス『警護兵＋市民・チェックポイント』。最初は『セイントオクトーバー』のサブタイトル風味で「ロリ検問！　少佐の甘い罠！」だったけど「ロリって単語はいかがなものか」と編集さんから物言いがつき、協議の結果。行司差し違えとしてアオリ変更した思い出。どうでもいいけど、セイントオクトーバー風にするなら「超甘い罠」とすべきなのだ。

赤ずきんちゃん　気をつけて。
注意！変な人出没

月刊アーマーモデリング2007年9月号（No.95）
（特集）東部戦線のSS機甲部隊1943-1945／掲載

11

BLと呼ぶにはちょっと年齢がいってますが、いいですか

これは『ソ連歩兵　記念撮影1944』セットですなあ……うわっ！　このコーナー、マスターボックス率高すぎ？あの頃の同社は印象的なポーズのフィギュアを矢継ぎ早に出していたのでネタに困らなかったと回顧録に記載。

3番の人が4番にキスしなさーい
王様ゲームかよ！
しかも何で写真撮影？
腐女子？
あんたヤダ

月刊アーマーモデリング2007年10月号（No.96）
（特集）海外モデラーに学ぶ、超絶AFVテクニック World wide AFV Modeling／掲載

12

「ファイト一発」
禁止!!
ファ…
え?!

月刊アーマーモデリング2007年11月号(No.97)
(特集)発令、製作せよ!　ヘルマンゲーリング戦車師団／掲載

鷲のマークの ドイツ第3帝国国防軍〜

ミニアートの『ドイツ兵・燃料ドラム缶付』セットって斜面を登ってくるキングタイガーに向かってドラム缶を転がす情景を再現したくなる！　ドイツ兵セットだけど。
「そこはほらアメリカ軍版スコルツェニー部隊って」
「そんなの無いよ」
それはそうと最近は「ファイトー！」「いっぱぁつ！」のＣＭも見なくなった気がする。

「ファイトー発」
禁止
ファイ…
え――!?
原案

13

白旗は清和源氏ゆかりの 旗印なんですよ(ジャパンでは)

このコーナーでは比較的珍しくタミヤ製のフィギュアがモチーフ。しかし「フランス兵に縁があるなあ」とは？その謎を追ってノルマンディー海岸に強行上陸した我々取材班だったがオマハの獣に全員やられた。
まあたぶんその頃にタミヤのフランスＵＥトラクターを作ったわー程度のことで、フランス兵に森を焼かれた等の強いエピソードではないのは確か。

お前は黙ってろ!
何ですかその白旗
最近 フランス兵に縁があるなぁ…
がんばれ!
フランス歩兵セット

14

月刊アーマーモデリング2007年12月号(No.98)
(特集)目指せ! フィギュア王!　まるわかり!!　フィギュア製作法AtoZ／掲載

お腹つっかえてるでぶ～
だから痩せろとあれほど言ったのに!!
プ●さんかよ!!
ぶょソ連戦車兵
脱出？ セット

月刊アーマーモデリング2008年1月号（No.99）
（特集）AFVモデラー的泥遊び　ウェザリングの醍醐味“泥”をとことん考察する／掲載

最後はお尻を蹴っ飛ばされて抜け出すんでしたっけ？

そもそもどうやって戦車に乗り込んだんだレベルだよ！ずっと車内に籠ったままハチミツでも食べ続けたのかね同志よ。シベリアで特別な減量をしてきたらどうかね？そんなマスターボックス『ソ連戦車兵・脱出』セット。

15

おかげさまでAM通巻100号！花を添えていただきました!!

アーマーモデリング100号記念ということで、第１回のドイツ戦車兵少女が再登場。さらに100号だからE100、T-100、ついでにチャーチルクロコダイル（ミリタリーミニチュアシリーズNo.100）もお祝いに駆け付けたぞ！そういえば100号記念パーティーのビンゴゲーム大会で個人的に悲しい出来事があったけど誌面の都合で省略。

100号おめでとう
原案

16

祝
100号
おめでと

月刊アーマーモデリング2008年2月号（No.100）
（特集）三色迷彩の極裏ワザ!!　実践すれば、キミも確実に即迷彩マスターになれる!?／掲載

最近
装填作業が
速くなったよ!
フフ…気付いてないようね
私がこっそり 腕を3倍に
増やしておいたことに!
15cm砲兵「アシュラ」セット

猫の手も借りたいくらいだって言いますもんねェ

これはドラゴンの『ドイツ榴弾砲クルー』フィギュアで、某模型店の番頭さんに「このキットは胴体ひとつにつき腕パーツが3セットくらい用意してあって、複数ポーズにできるんですよ」と教えてもらったことで思いついたネタ。分かりにくいわ。
ひとりで弾頭と装薬とラマーを扱えるので仕事が速い!（声：藤本義一） いや無理だろう。

月刊アーマーモデリング2008年3月号（No.101）
（特集）スターリン2戦車を作り倒せ! 同志よ! 機は熟した!!／掲載

17

相手が水着姿のロンメルちゃん（わかる人にはわかる）だったらなお悔しい

アフリカ戦線特集ではないので新製品ネタなのだけど、何で姫騎士テンプレになったのか。

作者の人
何も考えてないと
思うよ
真顔で
なんてこと言うの
ロンメルちゃん

イギリス第8軍歩兵
（エル アラメイン1942）
セット
悔しいッ
こんなドイツ軍に……
でも……
トブルク陥ちちゃう!

18

月刊アーマーモデリング2008年4月号（No.102）
（特集）ダイオラマ・ガーデニング2008 今こそ知りたい!!「リアル」な草木の作り方／掲載

二の腕が気になる貴方へ…
第100印の鉄アレイ
P
52t
KV-2 P型
WF会場限定販売（嘘）

月刊アーマーモデリング2008年5月号（No.103）
（特集）単色迷彩で魅せる!! 読めば一発！技術を底上げ！の最強塗装テクニック集／掲載

女の子は見えないところにこそお肉がついちゃうんですよ（涙）

13年も前なので描いた本人も一瞬「何コレ」となるけど、当時のワンフェスで限定販売されたピンキーストリートの戦車『ティーガーＰ型』が元ネタ。あの当時は自分もピンキー改造パーツとかを作ってたな。やったわやった。懐かしいな〜（水谷豊の声で）。

二の腕が
気になるあなたへ
原案

19

ラフ画の女の子の髪の感じも80年代風で好きです♡（by 担当）

いましたねぇミラーマン。特撮ヒーローじゃないほう。何となくお色気要素を入れたら良いのでは？（何が良いのか不明）ということでこういうカットになった感じ。それはそうとこの女の子、あかりでは？
「だからどのあかりだよ」（←お約束）

キャーチカンー
ちっ違う
ミラーマン確保ー!!
原案

20

きゃー痴漢ーー!
ミラーマン確保!!
とらふく
ごっ誤解だ

月刊アーマーモデリング2008年6月号（No.104）
（特集）今すぐ使える!! 海外モデラーの実践テクニック／掲載

MM
ミリタリーミニチュア
ドイツ歩兵セット
ついにリニューアル！
当時 買った旧版と作り比べてみるね！
お前 何歳だよ？
ラビ
MILITARY MINIATURES

月刊アーマーモデリング2008年7月号（No.105）
（特集）「小技」を極める。　知っているようで意外と知らない仕上げのテクニック集／掲載

MMシリーズNo.2 ドイツ歩兵セットは1969年7月発売でした

MMシリーズ初期の歩兵セットは子供心にカタログ写真の巧みさを学んだ最初の例かもしれない。
どうでもいいけど「ラビちゃんとモ虎くん」ということなのかな？　そして寅年でもないのになぜトラなのか。ティーガー重戦車に引っ掛けてるだけ？　って、描いた本人が分からんものが他人に分かるものかよ。

MMシリーズ ドイツ兵
約40年ぶりのリメイク!!
当時買った初版と作り比べなきゃ
お前何才なんだよ？
原案

21

我が軍は地球に優しい軍備を目指しています

CO2排出量の少ないエコ兵器というアホなネタだけど、馬匹牽引でも無理のないように軽量な無反動砲を選択し、装軌式の車台を採用して東部戦線の泥濘にも対応可能とするなど、ちゃんと考えられている。悪路とか。
あと無反動砲の車輪を残してあるので、砲だけ車台から降ろして使えるのもドイツらしいぞ。
しかしなぜ馬が埴輪なのかは謎。はに○様しっかり～。

とりあえず荷馬車を接収して半装軌化して 自走砲化して戦力化しました！
…馬の意味はあるの？
CO2削減ですが？
サミットに合わせて
採用
A

22

荷馬車を接収して装軌化して自走砲化して戦力化しました！
CO2 削減のため馬で牽くんだ！
燃料無いだけでしょ？

月刊アーマーモデリング2008年8月号（No.106）
（特集）ティーガーI　［65年目の真実］／掲載

イタリア歩兵 セット
(エル アラメイン 1942)
← 自由フランス軍
あっついですわ～
これはヤバい!!
強力な敵か？ 逃げようか？
いや・俺の頭が暑さでヤバいかも

月刊アーマーモデリング2008年9月号(No.107)
(特集)いまだからこそストラクチャー／掲載

口説きにかかるにはちと距離が遠すぎるか

ドラゴン『イタリア軍歩兵　エル・アラメイン1942』。ラフ案段階だとただ普通の女の子なのに、完成イラストではどこかで見たようなキャラになっている……これはミステリィ（割といつも）。
それはそうとクロステルマンという名前の、音が転がるような語呂の良さが好き。

暑いー
むぅ これはイカン
そ、そんなに英軍は強力か
「イタリア歩兵セット
原案

23

運営、ディーラー、参加者の皆々様、毎度お疲れ様です

ミニアートの『ドイツ野戦憲兵隊』セットをワンフェスに当てはめたネタ。どこかで見たことあるような４人組だなあと眺めていたら、拙作の漫画『脱走急行』に登場する女性キャラだったよ。気が付くのが遅い。

走らないでー
会場整理
がんばれ ワンフェスセット
買い物完了
会場設営
原案

24

設営
ディーラー
参加
がんばれ！
ワンフェス
セット
走っちゃらめ～
買い物

月刊アーマーモデリング2008年10月号(No.108)
(特集)タミヤ「ミリタリーミニチュア」40年の軌跡／掲載

今日、　ボクは
パンツァーファーストで
T-34 を撃破した訳で……
ボクっ娘がまた
ポエムってるぞー
ノルトラントから'45冬

月刊アーマーモデリング2008年11月号（No.109）
（特集）「冬季表現」を極める!　featuring“ハリコフ1943年1月～3月”／掲載

北キツネには寄生虫がいるから近寄っちゃダメですよ～

ドラゴンの『第11SS義勇装甲擲弾兵師団ノルトラント』フィギュアセットの大喜利。とは言ってもフィギュアの顔が田中邦衛に似ているとかそういうことは一切無く、ただノルトラントというタイトルだけ。
安易にネタにしたけど、そういえば『北の国から』って一話も観たことがないわけで。

LWS型
ビート板
乙案
好評発売中！

25

ご一緒にモデルカステンのロシア語デカールいかがですか？

ミニアート『ソビエト戦車兵　跨乗兵セット』。
ソ連兵たちがドン引きする文言とは一体……スターリンの悪口だろうか。もしくはマニアックすぎる性癖？
これもその頃の深夜アニメで元ネタがあったはずだけど全く思い出せな……あ、『こどものじかん』だ。解決！

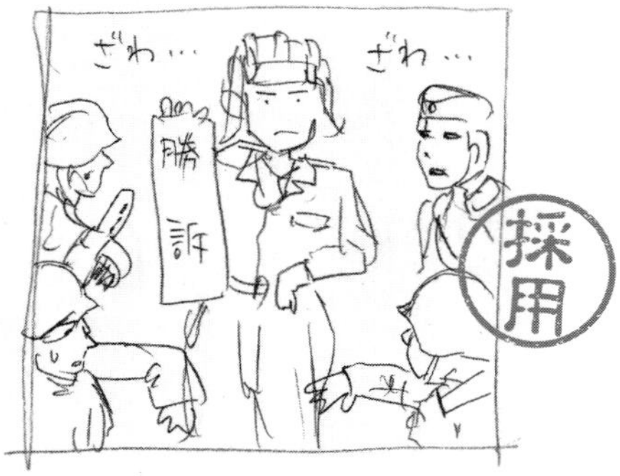
ざわ…
ざわ…
勝
訴
採用

26

ソ連歩兵ドン引きセット
希
望
дзава…
дзава…
дзава…

月刊アーマーモデリング2008年8月号（No.106）
（特集）「ドイツ軍用ハーフトラック」アーカイブ　German Haif Track Archives／掲載

DON'T PAINT TO "ITASHA"
これだけは やめよう 2008
1/35 IJA Type 97 MOTORCYCLE with SIDE-CAR
痛側車
ゆっくり走ってね！
賜り物なのに!!
チハたん

月刊アーマーモデリング2009年1月号（No.107）
（特集）誰にでも作れる"カッコいい"日本軍車両　Japanese-Consious Style AFV!／掲載

「チハたん」ってこの頃から一般的だったんですかっ!?

この号の付録プラモだった帝国陸軍サイドカーのネタ。「ゆっくりしていってね！」が流行っていた頃かな？「チハたん」は当時からネットのミリオタ界隈ではよく見たネットスラングだけど、いつ頃から使われてたのか。それにしても砲塔の鉢巻きアンテナを意匠に取り入れたせいで、キョンシーの帽子みたい。

超カブ王
燃費が
窃盗団に狙われる
側車付
不許可

27

小学生の頃、通学路の交差点で見守ってくれてました

交通整理おば……おねえさん。ミニアートの『ソビエトジープクルー』セットの一人で、やはりというか箱絵とだいぶ印象が違うお顔立ちのフィギュアが入ってるぞ。モデラーの腕の見せ所だ！（前向き）　まあキットの方が現実に即しているのだと思うけど、そこは浪漫優先で。

「緑のおばさん」って
呼んだら粛清するわよ
原案

28

「緑のオバサンって書いたら
粛清
するわよ」
って言われたので若く描きました。

月刊アーマーモデリング2009年2月号（No.108）
（特集）ヴィネット進化論　キーワードは「自由」!　ミニダイオラマに留まらない新しい表現方法／掲載

ちっ、あのブドウは酸っぱいに違いない(すげー負け惜しみ)

マスターボックスの『フランス　レジスタンス1944』を美人局戦術に改造！　お色気要素を入れたら良いのでは理論再び。まあ実際にこういうこともあったろうなあと思うわけですが。
なお、この絵はドイツ将校の表情が良い感じに描けた。元の箱絵のおかげだろうとかそういうツッコミは禁止。

フランス・美人局セット

月刊アーマーモデリング2009年3月号(No.113)
(特集)第二次大戦末期に野に放たれた最後の虎。その威容を探る!／掲載

遠すぎた日本橋セット
もうアキバ巡りして帰りましょうよ
乙案

29

日本にも軍人精神注入棒(火花発生機1号とも)ってありましたね

マスターボックス『ドイツ戦車兵　クルスク1943』。
ケツバットの人は元絵では手榴弾を握っているのだった。ラフだと二人とも男だけど、下書きの途中で「女の子を描かなきゃ！」と気付いて何かの神様っぽくなったぞ。バットに魔法のステッキみたいな謎の羽が付いてるけどそれでも地味だね！

クルスク・尻バット セット
痛ェ
A
採用

30

闘魂注入じゃあ！
クルスク
ケツバット セット

月刊アーマーモデリング2009年4月号(No.114)
(特集)「極上」のフィニッシュワーク　必ず試したくなる! AFVモデル仕上げテクニック指南書／掲載

ドイツ監視塔
取り調べセット

「お前がやったんだな」「わかったらここにサインしろ」

マスターボックス『サーチライト監視塔警備兵』セット。映画だと真っ先に主人公にやられる人達。
昭和の刑事ドラマだとこういう取り調べ風景もよく見たけど、近年はコンプラとやらのせいでみんなお上品だ。どうせフィクションなんだから凶悪犯には躊躇なく発砲する（人質がいてもお構いなし）大門軍団くらいの勢いが欲しい。

月刊アーマーモデリング2009年5月号（No.115）
（特集）戦車模型は「塗装」でキメる!!　基礎から応用まで戦車模型の塗装法をすべて教えます。／掲載

31

ドーバー、カレー間が最短34kmだから1/35スケールにすると…

箱がずっしり重かったのが印象的なドラゴンの『ドイツポンツーンセット（プレミアムエディション）』を大量に繋げて英仏海峡を横断……1/35でも全長1kmを超えてしまうという、お馬鹿系のミリタリー漫画でありそうなお話だったとさ。

これが

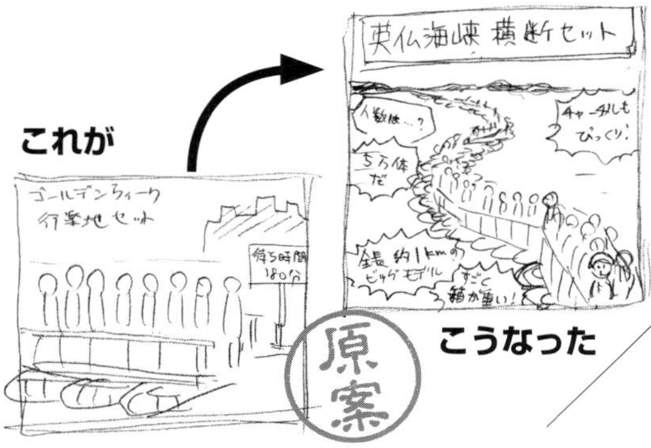
ゴールデンウィーク
行楽地セット
待ち時間
180分
英仏海峡 横断セット
人数は…?
5万体
だ
チャーチルも
びっくり!
全長 約1kmの
ビッグモデル
すごく
箱が重い!
原案

こうなった

32

英仏海峡横断
ポンツーンセット
全長約 1Km の
ビッグモデル!
あしか
ツアー様
5万体
セット!
とにかく
箱が重い!

月刊アーマーモデリング2009年6月号（No.116）
（特集）一週間でカッコイイⅢ突を作る／掲載

綺麗な箱絵だろ？
でも中のフィギュアは
全員全く違うポーズ
なんだぜ？
細かいことは
いいんですよ！
ソ連軍山岳兵 1942 セット
キットはとても良い出来ですよ

月刊アーマーモデリング2009年7月号（No.117）
（特集）戦車をカッコよく演出するフィギュアレイアウトの法則／掲載

そういうキット、昔はけっこうあったんだけどさ〜

ズベズダ『ソ連軍　山岳兵1942』は本当に箱絵とキット内容が違っていて面白い。イラストでは「全く違う」と表現したけど「同じポーズ指定なのに箱絵とモデルとで解釈が違う」と言った方が妥当かも？　これが世に言う「大陸的おおらかさ」であります。知らんけど。
箱絵もキット内容もどちらも味わい深くて、個人的には許した。

OK
流石だな
兄者
No.300の
キリ番ゲット
FMV
祝 MM300
乙案

33

1944年のフランス戦線といったらこの迷彩！

ミニアート『ドイツ戦車兵　フランス1944』の戦車兵がバカップルに？　外跳ね髪の女の子は某パチンコの茶々（CV：平野綾）であり、「みつなりぃ〜」は石田三成のことである。そんなことだから関ケ原で負けるんやぞ。言いがかりも甚だしい。

待てよ―
ホホホホ
つかまえて
ごらん
なさ〜い
原案

34

待ってよ
みつなりぃ
誰→
？
ははは
こっちこっちぃ
ドイツ戦車兵・フランス1944 セット

月刊アーマーモデリング2009年8月号（No.118）
（特集）失敗なんて怖くない!!【SOS! レスキュー特集】起死回生のリカバリー術／掲載

「敷物は正確に太陽に向けろ」と規定にあるんだ
ドイツ兵の海水浴。
そんなの適当でいいじゃん……
どたえぷる

月刊アーマーモデリング2009年9月号（No.119）
（特集）ダイオラマは気軽に作ろう！　もう悩まない!! ストーリーテリング攻略法／掲載

大喜利です。フィギュアのポーズでひとことください

例の規制のため、白地に赤の逆日の丸旗を広げるドイツ兵でおなじみのマスターボックス『独歩兵　航空機識別連絡用旗』の日差しの強そうなボックスアートを眺めていたところ、海水浴の準備をする軽音楽部の娘さん達になる。なった。
眉の太い娘がちゃんと謎の変な踊りをしているのが好き。本当に何なんだあのアクション。

ドイツっぽい花見の風景
規定ではもう少し花の下だ
あと5cm…？
もう適当でいいよ……
採用

35

ゲームはダメだけど、プラモだとお父さんの財布の紐が緩む説

ミニアート『ドイツ民間人』セットの箱絵の少年が悪態ついているように見えたのでこうなった。
このキットの老婆はちょっと大柄な体格なので「お前のようなバ●アがいるか」と何かの伝承者っぽいツッコミもできる！
DS“Light”は露店の景品とかでよく見かけたパチモン。照明機能だけでゲームはできないんだったっけ？

すまん息子よ…
うるせえ!! ゲーム機なんて持ってないよ
おじさんとドラ[redacted]エ 9やろうぜ
ペっ
原案

36

おじさんとド●クエ9の通信やらないか？
それパチモンのD●-「Light」じゃねーか
ぺっ
ドイツ小市民セット

月刊アーマーモデリング2009年10月号（No.120）
（特集）高石誠のウェザリングテクニック／掲載

ヴィーキング師団
釣りセット
こいつは大物だぞ！
ウクライナの主？

月刊アーマーモデリング2009年11月号（No.121）
（特集）ドイツ戦車迷彩パターン大全「重戦車篇」／掲載

グレートクラスの出現率アップ中（釣りスピ●ッツか！）

ドラゴン『ヴィーキング師団　コーヴェリ1944』セットの機関銃手が一本釣りに挑戦？　大喜利的にはちょっと捻りが弱いので、このネタでは座布団は貰えなさそうだ。……座布団を？　誰に？

こいつは大物だあっ
あーデカいわーこれ
原案
ヴィーキング師団釣りセット

37

この民族衣装を初めてみたのはキャンデ●キャ●ディででした

マスターボックス『イギリス歩兵匍匐前進・バグパイプ付』。インジェクションキットではスコットランド兵はかなり少ないので貴重。
何度目かのお色気要素カットだけど、なぜすぐスカートを覗くネタにしてしまうん。昭和の少年漫画のセンス！

何でみんなローアングルなんですか
採用

38

スコットランド男の勇気！
※セクハラです。

月刊アーマーモデリング2009年12月号（No.122）
（特集）帝国陸軍・激闘名選　日本兵達の勇姿を表現する方法／掲載

対戦車虎セット
新年号
ですから

月刊アーマーモデリング2010年1月号（No.123）
（特集）IV号戦車H型実戦工作ガイド／掲載

特集はIV号戦車だったんですが（まぁ干支が干支だけに）

寅年なのでズベズダの『タンクハンター地雷犬』も虎になった。虎だ！　お前は対戦車虎になるのだ！
対戦車虎といっても、虎に爆薬を装着して（以下略）というものではないので動物愛護の方も安心。
具体的には絶天狼抜刀牙的な必殺技で戦車を破壊する虎。「※この虎は特殊な訓練を受けています」とテロップを入れておけばたぶん大丈夫。

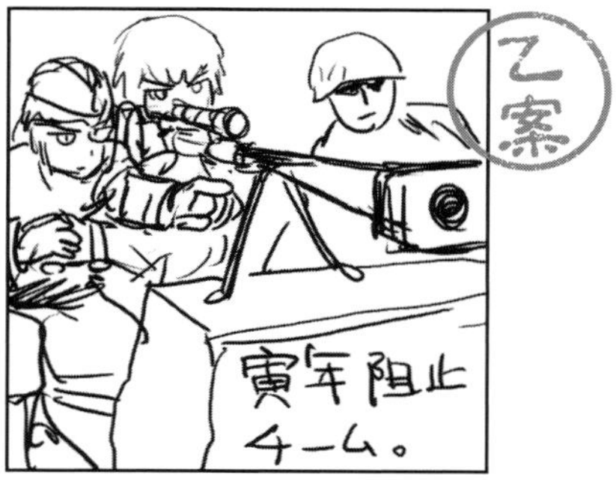
乙案
寅年阻止
チーム。

39

低級霊が寄ってくるから気軽に手を出したらダメなんだぞぅ

ブロンコモデルの『トライアンフ　オートバイ』付属のフィギュア大喜利。イギリス兵がコックリさんとは……と思ったけど、コックリさんはそもそも海外からの流入文化が起源らしいので、これで良いのだ！　忘れようとしても思い出せないのだ。

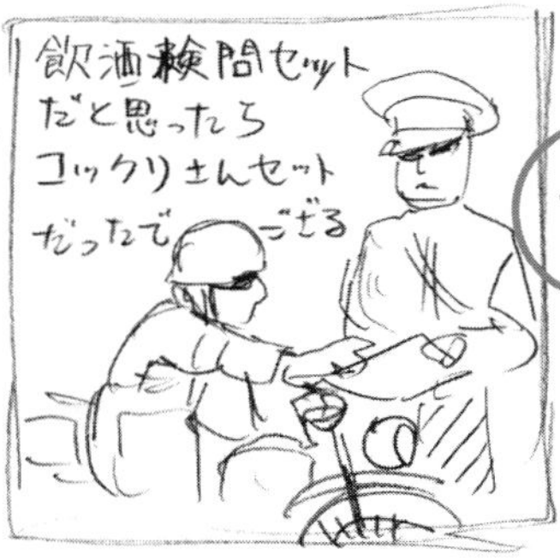
飲酒検問セット
だと思ったら
コックリさんセット
だったでござる
原案

40

イギリス軍 飲酒運転取り締まり セット
だと思ったら
こわいよ〜
と.ら.い あん
コックリさんセット
だったでござるの巻

月刊アーマーモデリング2010年2月号（No.124）
（特集）初めてのフィギュア塗装　かならずフィギュアが好きになる!!／掲載

かぼちゃプリンの食べすぎね!!
ぽきゅーーん
こういうの希望。

月刊アーマーモデリング2010年3月号(No.125)
(特集)すぐにでも始められる!!　気軽に作れる戦車模型／掲載

やっぱり見えないところのお肉が気になっちゃいますよねぇ

ドラゴン『ドイツ兵　戦闘準備』セットをソ連兵にした。しかもみんなこういうのが好きでしょと女子変換。かぼちゃプリンや「ぽきゅーん」ってのは当時放送していたアニメ『キディ何やら』(グレイドじゃないほう)のネタなんだけど、そもそもあれを観てた人がどれだけいるのやら。まあそんなの気にせずに描いてしまうけど。

原案
こういうのは
出ませんか?

41

まいっちんぐ〜の元ネタがわかるのは、もはやMM世代だけ?

マスターボックス『アフリカ軍団+現地民間人』セットがアフリカ軍団まいっちんぐセットに早変わり。アーマーモデリング読者の年齢層は高めだと勝手に判断しているので古いネタも平気で使うよ。と同時に新しいネタも使う。メジャーなネタからマイナーネタまで全ては自分の思いつくまま。コンピューターが苦手な人間の気まぐれってやつ。

不許可
バレンタインデーに ミニアートの
バレンタイン(ソ連軍仕様)が
欲しかったなー
レンド
リース…
まだ出てないし

42

いやぁあん
アフリカ軍団
まいっちんぐセット
ターーッチ。

月刊アーマーモデリング2010年4月号(No.126)
(特集)愛すべき「B級プラモ」の世界／掲載

ドイツ軍斥候 待ち伏せセット
遅刻 遅刻～
遅刻少女
ワシが手本を見せるんじゃよ？
大丈夫だろうな
お前……
ファーター
フラウスキー

月刊アーマーモデリング2010年5月号（No.127）
（特集）単品至上主義／掲載

どっきどき、告白タイムは突然に～（青春ですなー）

マスターボックス『独ソ斥候遭遇シーン』。
ドイツ兵ファーターとフラウスキー。彼らが夢見るのはドイツ千年帝国ではなく密溢るる約束の国モテモテ王国だった。今日も彼らの無駄な努力が始まる！　といったストーリーかも。遅刻少女との謎コラボ。
「イッペン、死んでみる……？」
「ファーターのやつ、また死にやがった」

ちこく
ちこく
通学途中 待ち伏せ セット。
採用

43

2010年の静岡ホビーショーで鮮烈デビュー！（BT-7が）

タミヤからBT-7発売ということで、自分のライフワークである戦車擬人化少女の出番（ライフワークというのは大袈裟なのでJAROに連絡）。
このコーナーで戦車少女が登場するのはこれが初めてかと思ったら、ソ連山岳兵セットの時にロジーナちゃんが登場してた。

ホビーショーで
タミヤさんのBT-7
ソ連兵セット
今！ソ連の時代ですよ!!
ソ連の時代は1991年におわったよ？
原案

44

静岡ホビーショーで
タミヤがBT-7を発表
「魔少女」BT-ナナさん
今、ソ連の時代ですよ！
然るべき寝美を
その時代は一九九一年に終わりましたよ？

月刊アーマーモデリング2010年6月号（No.128）
（特集）ファンタジーではない「リアルな架空戦車」の世界／掲載

慢性的燃料欠乏症ドイツ国防軍の救世主となるか!?

ドラゴンの『ドイツ軍　ドン・コサック兵』なんだけどなぜアルパカ？
この時アニメ化されて放送中だった『B型H系』（作者のさんりようこさんとはお友達なのだ）の二人をスカウト。
山田はきっと下ネタを考えていると思われるが詳細不明。

ドン・コサック1944セット
妙にモコモコした馬だな……ていうこと
いらん事考えるな山田!
アルパカですけどね

月刊アーマーモデリング2010年7月号（No.129）
（特集）打倒低級模型!／掲載

ドン・コサック兵 1944セット
ちょっと見ないうちにフサフサね。
アルパカですよ
原案

45

乙案だったら藤田センセが喜んだかも、デス

特集は「美人作り放題」。神の所業かな？　特集絡みで大手を振って女の子を描くことができる（本当はいつも気にせず描いています）！
タミヤの1/16シリーズのソ連指揮官を女体化したけど、現在では女性フィギュアも色んなメーカーから出ていて隔世の感があるのだ。

甲案
1/16ワールドフィギュアでこんなの出ないかなあ
殺っちゃえー
A
女の子特集なので女の子を描きました!
(注・いつも)
B
乙案

46

女性フィギュア特集なので女の子を描いてみました
(注・いつも)
殺っちゃえー
1/16ワールドフ●ギュアにこういうの希望。

月刊アーマーモデリング2010年8月号（No.130）
（特集）美人作り放題／掲載

積みプラモを作ればいいじゃない
お盆休みだもの（MITSUWO）
お盆休みは有明のコミケに行くから
この駄目人間！
BT-7作れよ!!

月刊アーマーモデリング2010年9月号（No.131）
（特集）カタカナ技法　チンプンカンプン　外人技法を日本的に解決!／掲載

人生の半分はコミケ（もう半分が模型）でできてるもんで

実際問題、お盆に帰省すると実家に模型作る環境が無いので作るのも難しい……が、コロナで自宅にいる時間が増えたのに、完成品が増えていない奴～！
そういえばこのコーナーのカットって当初はアナログで描いた線画を取り込んでデジタルで仕上げていたけど、このあたりから線画からデジタルの絵が増えてゆくぞ。現在は七割くらいがデジタル作画かな。

お盆休みに積みキットを作りましょう!!
いや、お盆はコミ
この駄目人間め――!!
採用

47

次号から3号連続マガジンキット企画が始まるよ～、の告知でした

八九式中戦車のマガジンキットが三号連続で付録になる企画！　モデグラ本誌の方でも宣伝するため戦車少女の鉄牛乙子さんが出動だ。
またこういうマガジンキットの企画をやらないかなあ。マチルダIとか。ガルパンで活躍しないと無理かな。

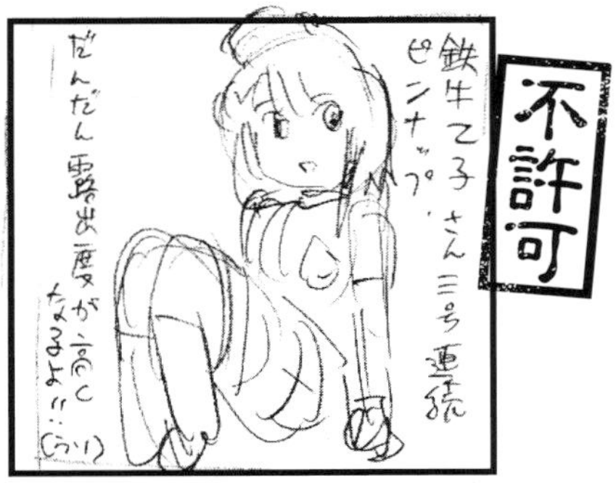

不許可
鉄牛乙子さん三号連続
ピンナップ.
だんだん露出度が高くなるよ!!

48

八九式中戦車少女
鉄牛乙子さん（仮）
モデルグラフィックスにも登場してるよ!!
無敵戦車娘
むてきせんしゃむすめ
（※中国戦線調べ）

月刊アーマーモデリング2010年10月号（No.132）
（特集）日本戦車ご近所巡り／掲載
※乙子さんのモデルグラフィックス登場イラストは本書4ページに掲載！

ラフまでボケなくてもよかったんですが～

鉄牛乙子さんが登場してるけど、付録のマガジンキットネタではなく特集ネタだった。カンペで「ボケて！」と言われても急には思いつかないよねえ。
(※ラフがピンボケな本当の理由はラフをスキャンする余裕がなく携帯のカメラで雑に撮影したから)

がんばれ～
エアブラシ
で
ボケて！

月刊アーマーモデリング2010年11月号(No.133)
(特集)エアブラシでボケる／掲載
〈特別付録〉三分割マガジンキット その壱・車体編

原案
エアブラシで
ボケて！

49

こういうのドリフのコントでよくやってたなー

「小細工で勝つ！」特集を捻って「不細工で勝つ！」。
また軽音部の方々。お気に入りかよ。でもドラムの子がいないのはかわいそうだと思います！

不許可
タミヤから
ソビエト歩兵突撃セットが
出る嬉しさのあまり
ロシアンバニーを描いてみた。
(因果関係が全く分かりません)

50

不細工で勝つ！
目をつぶるのって反則ですよね？
ほっといてやれ……

月刊アーマーモデリング2010年12月号(No.134)
(特集)小細工で勝つ！／掲載
〈特別付録〉三分割マガジンキット その弐・砲塔編

はぁ？ まだ完成してないってど
3ヶ月も何やってて
ホントにモデラ
信じら
来月までで
完成
でないと
俺の八九式がこんなに酷いわけがない

月刊アーマーモデリング2011年1月号（No.135）
（特集）八九式中戦車完成披露宴／掲載
〈特別付録〉三分割マガジンキット その参・足周り編

まぁ、この号でパーツが揃ったんですから（と言い訳）

ツンデレ妹っぽくなった鉄牛乙子さん。まあこれも時代の流れやね（本当？）。
さすがに10年も経てばみんなマガジンキットは完成して……何？　完成してない？　貴様それでも日本(以下略)
まあかくいう自分もまだ全然完成していないんだけど。

サンタさんへのお願いは
正確に!!
何を…
「DSください」？
DSキャタピラ
欲しいのか
DS
ほしい
乙案

八九式中戦車用に開発されたふたりなのだ（註：キットは男です）

モデルカステンの『日本陸軍戦車兵セット』のダイマ。
あのカットに宣伝効果があるのか不明だが、細かいことは気にせずマガジンキットの八九式中戦車に乗せよう！　完成していれば。
それはそうと、この二人はあれだね、下着が銃器とかに変形するあのアニメだね。

モデルカステン 日本陸軍戦車兵セット
さすがにもう八九式はできたわよね？
まだの人はおしおきよ
採用

八九式出来たか～？
日本陸軍戦車兵
2体セット
発売中！（たぶん）

月刊アーマーモデリング2011年2月号（No.136）
（特集）突撃砲兵　腰は低いが気は荒い／掲載
※2021年6月現在、レジンヘッドを追加したバージョンを販売中

うわぁ うざい……
あ～……チョコ欲しいな～
誰か チョコレート くれないかな～
ドイツ兵・休息セット

月刊アーマーモデリング2011年3月号（No.137）
（特集）あなたの知らない（秘）AFV制作テクニック／掲載

もはやお菓子メーカーの策略とは言えない状況で

今はなきトライスターの『ドイツ歩兵　休息セット』とバレンタインデーの合体技。こう改めてまとめて見ると時節ネタって思ったほどは使ってない感じ？
とりあえずこのカットで分かるのは『それ町』のアニメはこの当時放送してたんだなあということだった。

あーチョコ欲しいなー
誰か くれないかなー
うわ、うっとうしい
原案

53

その節はモデルカステンで少し売らせていただきました

この当時アーマーモデリングで連載していた望月三起也先生の『バサラ戦車隊』に登場する敵女将校。いつものノリで勝手に描いちゃったけど大丈夫だっただろうか。
あと宇宙生物っぽいシルエットがあるので『まどマギ』放送中だったんだなあと。

そろそろ 私の フィギュアでも 出るんじゃ ないのかい？
次の ワンフェス とかさ
採用

54

そろそろ私のフィギュアが出たりしないのかしらネ？
※イメージ画像
僕と契約して萌えフィギュアになってよ！

月刊アーマーモデリング2011年4月号（No.138）
（特集）集結せよ!! メルカバ 大好きモデラー／掲載

あれから10年が経ちました 改めて心から感謝申し上げます

東日本大震災の時はかなり離れた場所にいたので初めて長周期地震動を体感した。最初ひどい眩暈かと思った。

で、こんな時だからこそ、いつも通りのノリでやるべきではとも考えたけど、自衛隊をはじめとする多くの方々の救助活動に敬意を表して珍しく真面目に。

ありがとう！
自衛隊のひと

月刊アーマーモデリング2011年5月号（No.139）
（特集）The・履帯　戦車模型最大の見せ場である足周りの作り方、仕上げ方のすべてがわかる!!／掲載

勇敢な自衛官の方々ニ敬礼
アメリカ軍もありがとう
乙案

55

日焼けは最大の敵ですから 気をつけてくださいねー

タミヤの新生『アフリカ軍団　歩兵セット』が半ズボンじゃないことから何でマミさん起用になったのかは全く分からん（マミさん半ズボンじゃないし）けど、当時の『まどマギ』の影響が大きすぎるのは分かる。
「魔女に銃火器で攻撃するとはフェアじゃない」
「ティロ・フィナーレで死なない魔女の方が卑怯だぞ」

原案
新・アフリカ軍団歩兵セットは
長袖長ズボンなんですね。

56

目標！砂模の魔女
女王
ティロ～フィナーレ
新・アフリカ軍団歩兵セットは
半袖半ズボンじゃないんですね…

月刊アーマーモデリング2011年6月号（No.140）
（特集）Ⅲ号戦車E/F型実践工作ガイド／掲載

ほら簡単でしょ？
いつもそう言うね 分からないよ
ボブボブの
塗装教室

月刊アーマーモデリング2011年7月号（No.141）
（特集）Q&Aで学ぶ戦車模型塗装教室／掲載

タミヤBT-42の発売も衝撃的でしたが……

特集絡みで、懐かしい『ボブの絵画教室』。
「ボブ→ボブボブ→ほむほむ」という連想ゲームなのは百歩譲っても、ボブボブって何なんだ俺。円盤獣かよ。
それと再登場した宇宙生物の言う通り簡単じゃないよ！
凄腕ゲーマーの「○○（高難度ゲーム名）は簡単でしょ」みたいなもんだ。

まさかのBT42発売!!
今年の夏はフィンランドですね!!
フィンランドの夏 流血の夏
不許可

57

AM《アーマーモデリング》で「普通の女子高生」のフィギュアの提案をしてた頃でした

「普通の女子高生フィギュア」を推してたのも懐かしい。
ハンガーを持った長髪先生がシルエットなのは似顔絵が苦手だから。ホント苦手なんですよ。
それにしても「戦車が怖くて」とかハンガーヌンチャクとかのネタ、つい使ってしまうんだよなあ。

B
ヤクトティーガーもいいけどティーガーⅡもね！
いっしょに作ってみよ～！
乙案

58

「戦車通学禁止」って校則無いしー
はいー何ですかコラそこー
戦車が怖くて教師ができるかっ！

月刊アーマーモデリング2011年8月号（No.142）
（特集）ドイツ軍 掉尾の重駆逐戦車 ヤークトティーガーをとことん作り込む!!／掲載

MYSTERY MINIATURES
1/35 SCALE
盂蘭盆ー戦略ぅ〜!!
ドイツ歩兵
お盆精霊馬セット
人形2体、胡瓜、茄子入り・接着剤別売

月刊アーマーモデリング2011年9月号（No.143）
（特集）"魅せる"戦場作りのテクニック!!／掲載

進軍ではキュウリの馬に、後退ではナスの牛に乗ります（速度重視）

精霊馬の意味するところは、進撃する時は機動力を重視して、後退時は粘り強く時間を稼ぐということである。（民明書房刊「古来の風習と軍事」より）
それにしても「盂蘭盆戦略」とは一体……。
「キットを何も完成できないモデラーたちに告げる」
ま、まあ、プリンセスさんがそう言うなら……

ドイツ兵お盆セット
原案
胡瓜の馬
茄子の牛　入り

59

ピザはオーブン焼きのもの ピッツァは石窯焼きですよ

ブロンコの『17ポンド対戦車砲　砲兵セット』。
イギリス軍なのにピザってのも何だけど、フィギュアのポーズがそんな感じに見えたので。
それにしても、みやこちゃんは大食いだなあ。この頃は『ひだまりSP』だったかな。

17ポンド砲兵セット
どうしてピザ焼きの練習を…？
17ポンド砲の訓練ですよっ
採用

60

17ポンド砲　砲兵セット
どうしてピザ焼きの練習を……？
装填の訓練になるんだよ
※自分が食べたいだけ

月刊アーマーモデリング2011年10月号（No.144）
（特集）DRAGON解体全書／掲載

模型妖精
キューティ
ポンコツロボ
T-9
8bit
この謎のキャラが
どんな活躍をするのかと
いうと……（ヒント：活躍しない）

月刊アーマーモデリング2011年11月号（No.145）
（特集）戦車模型を上手に見せたい!!／掲載
※キューティとT-9は単行本『戦車模型低級技術指南』（大日本絵画刊）にも登場

キューティ&T-9、颯爽と登場です（ここが初出）

ローガン梅本氏の単行本『戦車模型低級技術指南』用にデザインされた模型の妖精（何それ）キューティと相棒ロボのT-9。どちらも「低級」からのネーミング。『ひみつシリーズ』のやっ太とデキッコナイスみたいなノリを目指していた気がする。

DAK48 大運動会
よーいどん
暑いよー
不許可
※優勝するとセンターで戦えます。

61

情熱的で陽気な民族とか言われますが……

これはミニアートの『イタリア戦車兵』だったかな。
イタリア男は女性を口説くのがマナー的なやつだけど、イタリアが出てくるといつも定番のいじりネタで安易すぎない？　反省しろ。
あと、女の子は髪型からして白亜紀子くんではないか。

イタリア戦車兵セット
でも女性をくどいているポーズがないよ！
おかしい！
いや…戦場だし
ITALY TANK
原案

62

「イタリア戦車兵セット」なのに
女性を口説いてるポーズが
無いなんて！
このお嬢さんを
口説けばいいのかな？
まあ戦場だしなぁ
ITALIAN TANK CREW

月刊アーマーモデリング2011年12月号（No.146）
（特集）高石 誠の誰にでも実践できる"超級"テクニック大全／掲載

Allied Team
タイガーだけはカンベンな！
彼等ハ「Aちーむ」デスカ？
いいえ、違います。
8bit

月刊アーマーモデリング2012年1月号（No.147）
（特集）戦車模型調色不要論／掲載

ひと昔前は、よく昼間に再放送してましたな

かなり原型を留めてないけど、ドラゴンの『連合軍兵士ヨーロッパ戦線ETO』が元ネタか。
キューティとT-9のコンビはボケツッコミの役割が明確で使いやすいためか、この頃何度も起用されてる。

マスターボックス 北アフリカ兵士セット
これは特攻野郎？
ちがいます
8bit
原案

63

毎年毎年、同じような目標を立てるんですが、なかなか（汗）

「今年こそダイエット！」と同じくらいに信用できない、モデラーの「積みキット消化！」。そんなことはない！今年の俺はいつもと違うぜ！（なお結果

積みキット消化
T-9
できるのかしら
ヤルヨ――
採用

64

今年の抱負
積みキット大消化！
アンタできるの？
デキマスヨ！
8bit
T-9

月刊アーマーモデリング2012年2月号（No.148）
（特集）AFV製作全ツール攻略ガイド／掲載

もう飲めない…
ダメだこりゃ
ソ連兵
酔っぱらい
介抱セット

月刊アーマーモデリング2012年3月号(No.149)
(特集)最新陸上自衛隊模型アーカイブス／掲載

ロシア人は体質的に強い酒でも酔っ払わないんだとか(嘘)

ズベズダ『ソビエト衛生兵 1943-45』が酔っ払い介抱セットに早変わり。
かつてモスクワ旅行で「地下鉄車内でビール瓶をラッパ飲みする女性」「仕事終わりに公園で酒盛りする女性」などの光景を見かけたけど、今は地下鉄車内での飲酒も禁止されたというし、どうなってるかなあ。

ソ連兵 酔っぱらいセット
採用

65

たしかに似たフォームです。あ、よく見ると右目に眼帯が？

パラシュートを回収しようとする兵士が目印のズベズダ『ドイツ空挺部隊セット』。
「魚料理は得意」と言っているのは伊達マサムネ（乙女武将のすがた）。それにしても補給コンテナからハズレな補給物資が出てこなくて良かったね！

66

ドイツ降下猫兵・大漁セット
ぴち
ぴち
さ、
魚料理は
得意なんだ

月刊アーマーモデリング2012年4月号(No.150)
(特集)ディテールアップをトコトン楽しむ・第一幕　エッチングパーツ攻略大作戦／掲載

「ソ連上級将校セット」のフィギュアをこういう組み合わせにしたい！
ドイツ軍をくいとめないと粛清されますよ同志将軍閣下ぁ
何でこんな若造に……
シベリア送り確定だよ！
8bit

月刊アーマーモデリング2012年5月号（No.151）
（特集）ズベズダ製T-90パーフェクト製作ガイド／掲載

本来の階級の上下関係以外の、なにかの力が働いてますな

ICMの『ソ連軍上級将校セット』で一人だけ蚊帳の外な感じの彼を仲間に入れてあげようと余計なことを考えた結果、とんでもないことに！（ネットでよく見る大袈裟タイトル）

B
U.S. TANK CREW
35126
1/35
さぁ4月からの一人暮らしにこの液晶テレビ
なんとこのお値段！
40
乙案

67

どんなポーズであれ、日本軍フィギュアは重宝します

ミニアートの『日本軍戦車兵セット』。
良く跳ねる戦車兵って意味不明だけど、箱絵や完成見本から何となくこういうシュールな図が想起されただけで、特に深い意味は無いナンセンス作品（2012年公開）。

日本戦車兵セット
オオヨク跳ネルユクワイユクワイ
シュールだなぁ
原案

68

ワガ軍ノ精鋭ハヨク跳ネルナァ
ボヨン
日本軍戦車兵セット
何が何やら……

月刊アーマーモデリング2012年6月号（No.152）
（特集）The・鋼鉄！ Iron and Steel！／掲載

見栄を張って実際よりも
大きいブラを干すなよ！
ちっちゃく
ないよ！
セクハラ
です！
ウフフフ
ソ連
女性兵士
休息セット

月刊アーマーモデリング2012年7月号（No.153）
（特集）IDF Main Battle Tank メルカバ模型列伝「天の巻」／掲載

言われた人が悲しければ、それはハラスメントです

ICMの『女性兵士休息セット』。マスターボックスネタばかりだったこのコーナーも、このあたりはICMネタが増えている感じ。
ぽぷら先輩はちっちゃいけどでっかいのでこのサイズで適正だと思います。

ソ連女性兵士・休息セット
見栄をはって
大きいブラを
干すんじゃない
このセクハラ
大将め・・・
原案

69

同盟国の数が多いか、敵対国の数が多いか!?

ドラゴンの『イギリス海外派遣軍 フランス 1940』。
ベルト給弾している兵士と口を開けた指揮官が融合して、口から旗を繰り出す手品になったナンセンス系カット。
ドリフのコントを思い出す人も多いはず。

C
この手品どうかね
使い古された感
ありますねー
イギリス
大陸派遣軍
セット
採用

70

次のかくし芸
これでどうかねえ
ドイツ兵も
びっくり？
やや使い古された感が
強いであります！
イギリス
海外派遣軍
セット

月刊アーマーモデリング2012年8月号（No.154）
（特集）IDF Main Battle Tank メルカバ模型列伝「地の巻」／掲載

REMODELING IN ANOTHER PERSON
これだけは やめよう 2012
1/35 ICM 35613 "Stalin And Co"
「スターリンと側近セット」を改造して岡田●澄に。
しかもファン●ァン大佐ときた。

月刊アーマーモデリング2012年9月号（No.155）
（特集）ツィンメリットコティングを攻略せよ!!／掲載

だからある一定の年配の人にしかわかりませんって（汗）

ICMの『スターリンと側近セット』発売記念で、誰もが一度は考える［要出典］「岡田真澄をファンファン大佐に改造する」ネタ。違う。というかファンファン大佐ってこれ描いた時点でも20年程前の話なのだな。

スターリンと側近
大喜利 セット
ベリア君、
2枚持ってきなさい
全部なくなると シベリア旅行
乙案

71

ウチも夢中になって栽培しましたが、このレアキャラは生えませんでした

その当時の流行り物ネタで。なめこ……今でも続いているようで息の長いゲームであるなあ。
期間限定ミッションの「T-62なめこだけを収穫しろ！」は難しかった。T-64なめことかT-55なめこはともかく、T-62Aなめこは卑怯だろう（嘘記憶）。

T-62 なめこ
素人目には
T-55なめこと
区別が
むずかしいなめこ
原案

72

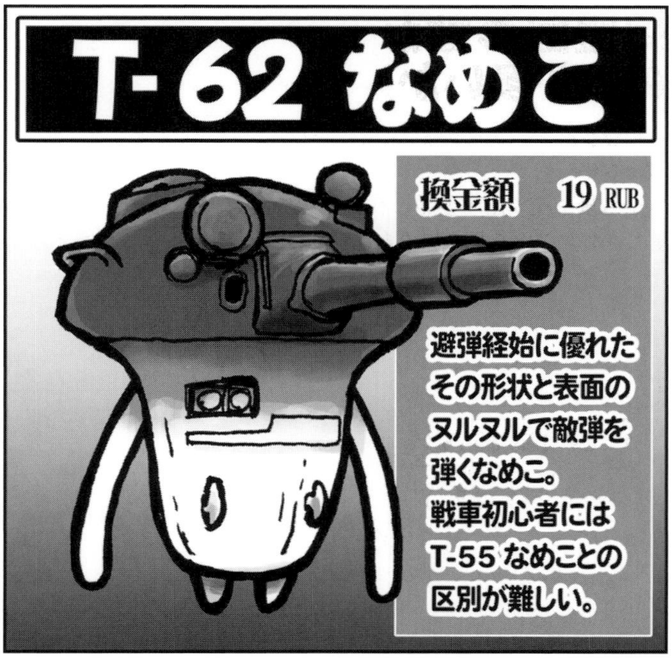
T-62 なめこ
換金額 19 RUB
避弾経始に優れたその形状と表面のヌルヌルで敵弾を弾くなめこ。
戦車初心者にはT-55なめことの区別が難しい。

月刊アーマーモデリング2012年10月号（No.156）
（特集）アメリカ軍地上部隊最新兵器ファイル／掲載

私の時代ですよ!!
10月から戦車少女のアニメが始まるよ！
お前じゃねえって言ってるだろ！
「戦車と少女」だ
T-34/76 少女
ロジーナさん

月刊アーマーモデリング2012年11月号（No.157）
（特集）戦車模型塗料徹底攻略／掲載

このころ国民的女子高生&戦車アニメがスタートしたんでした

ガルパン放送直前の、期待と不安が入り混じった状態。あのキービジュアルで心配していたけど、自分は第一話最後のズームアウトカットで大笑いして全肯定した組。そしてやはり面白い作品の劇中で活躍するメカは売れることを改めて実感することになる。

原案
10月から戦車少女のTVアニメ始まるよ!!
T34少女ロジーナちゃん
戦車と少女だよ
お前じゃねェ

73

なにも完成できなかった方でも楽しんでいただける雑誌です

罪揚亭萬族という名前は我ながら上手くできたと思っているのだけどどう？　「つまんねーこと聞くなよ！」
む、よく考えたらガルパンからの監督繋がりなのかも？
（注：偶然）「つまんねーこと聞くなよ！」

採用
ここ数年で完成させたキットの中であなたの記憶に残るものは？
つまんねぇこと聞くなよ!!
つみあげていまんぞく
罰揚亭萬足さん
作ってないな

74

ここ数年で完成させたキットであなたの「メモリアルキット」は何？
つまんねーこと聞くなよ！
戦車のカッ
お楽しみいただ
邪魔にならない程
差し障りのない考
お楽しみいただく専門誌です
こいつ作ってないな……
ずびゃー
罪揚亭 萬族

月刊アーマーモデリング2012年12月号（No.158）
（特集）新世紀メモリアルキットセレクション　MEMORIAL AFV KITS NEW CENTURY／掲載

クリスマスプレゼントは1/35マジノ線フルキットだよ！
ずびゃ
いらねーよ
でかすぎる

月刊アーマーモデリング2013年1月号（No.159）
（特集）フィギュアを極める AtoZ／掲載

1/35英仏海峡横断セットを攻略した方は是非～

恋人はサンタクロース。クリスマスのプレゼントは勿論1/35マジノ線。なぜなら、彼もまた特別な存在だからです。迷惑な話だなあ。
あ、週刊マジノ線ということにして、毎週トーチカとか監視塔とか届くようにしたらどうか。どうかじゃないよ。

Xマスプレゼントは1/35のマジノ線
フルセット
めいわくサンタ
原案

75

うまく話をはぐらかしたつもりでしたが

書き初めネタリターンズ。やはり積みキット消化は達成できなかったもよう。まあ予想通りだけど。
前回の絵の書き初め部分だけ差し替えたのかと思ったらそうでもなくて驚いた。

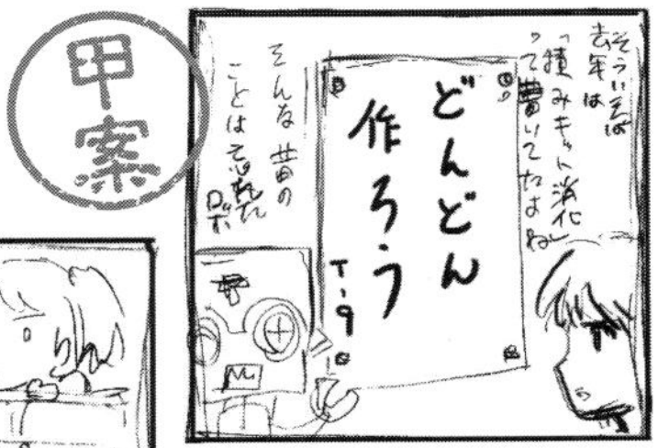

甲案
どんどん作ろう

今年も良いキットに恵まれますように
2013
乙案

76

書き初め
去年エラそうなことを書いてなかったっけ
戦車道
過去ノ事ハ忘レマシタ
8bit

月刊アーマーモデリング2013年2月号（No.160）
（特集）匠の技 プロモデラーのテクニックを解析するCase1：水野シゲユキ編／掲載

特集：イチからはじめる戦車模型
つまり「一号戦車から始めよう」ってことですよね　消炭どの！
まんぼうさんチーム
違うと思うよ……
しかもトミー／イタラエレイのときた。
PANZER KAMPFWAGE
TOMY

月刊アーマーモデリング2013年3月号（No.161）
（特集）イチからはじめる!! 戦車模型ベーシック大攻略／掲載

ゲームもたいがいI号戦車の取得からはじまります

早速ガルパンネタを始めたけど、字面のインパクトだけを優先したせいで「消炭どの」という酷い名前で申し訳ないことに。そして何で指揮官アンテナや触角？　古の「芸能人そっくりさん脱衣麻雀ゲーム」が「サングラスかけてるから別人だ」と言い張ろうとした古事（実話）に倣ったのかな？

特集
イチからはじめる 戦車模型
原案
I号戦車から始ようということですね
違います
イタラエレイ

77

「改造大・攻略」じゃなくて「改造・大攻略」ですよ（切るとこ注意）

消炭どの再び。というか、この消炭どのってバンク絵？華さんのアホ毛が妙にウネった妙な形なのも別人設定のつもりか？
あと改造特集ということでこっそり改造しちゃアカンの人がいたり、こういう小ネタを思いついただけ詰め込むのが大好きな作者なのでした（今日のわんこ風）。

特集
改造大攻略
採用
「改造大学」合格の手引きなんですね！
違います
改造しちゃイカン。

78

特集：改造大攻略
つまり「改造大学チーム」とどう戦うかの研究ですのね　消炭さん
だから違うってば……
そもそも改造大学って何？
改造しちゃアカン

月刊アーマーモデリング2013年4月号（No.162）
（特集）戦車模型改造大作戦／掲載

虎への道
ティーガーを究める!
がぉー!

月刊アーマーモデリング2013年5月号(No.163)
(特集)重戦車"ティーガー ポルシェティーガーからヤークトティーガーまで／掲載

哺乳綱食肉目ネコ科ヒョウ属に分類される食肉類ですなー

「ティーガーを究める！」という特集だけど、現在でも「知らなかったそんなの……」な事実をネットで定期的に見かけるので研究者は大変である。
どうでもいいけど、当方の戦車少女たちはソ連戦車からスタートしているせいで、ティーガー少女のデザインは未だに未確定なのだ。

ティーガーを究める!
がぉ～
虎への道
原案

79

例によって来月から新連載ははじまりません!

ダイオパークの『60～70年代の南ベトナム市民セット』から､1/35フィギュアとして多分初のアオザイの女性をリトルウィッチアカデミ……じゃないアオザイちゃんに改造。そしてまた宇宙生物が（3年ぶり3回目）。
そういえば最近ダイオパークの新製品とか見てないけど今も活動しているのだろうか。

A

特集・情景模型
車輌単品作品なのに情景が見える!!
おそろしい子!!
情景作品ですが…
乙案

80

「南ベトナム市民セット」を改造して魔法少女を作ってよ！
リトルウィッチアオザイちゃん

月刊アーマーモデリング2013年6月号(No.164)
(特集)イチからはじめる!! 情景模型ベーシック大攻略／掲載

なんとなく似てるだけでけっしてあの人たちではありません

ミニアートの『ドイツ戦車兵　ノルマンディ1944』。
ラフでは普通だったのに「え〜んた〜みっしょ〜ん」と何となく書いてしまったからさあ大変。アコーディオンからホットブラザーズ要素も思いついてしまったので、色々とカオスなことに。

GERMAN TANK CREW NORMANDY 1944 改め
大洗ホットシスターズ
うたって笑って〜
「お〜ま〜え〜は〜ア〜ホ〜か」の予感!
のこぎり

月刊アーマーモデリング2013年7月号（No.165）
（特集）戦車模型塗装法「演出と真実」／掲載
［特別付録］MENG MODEL製『1/35 T-90A』用スペシャルマーキングデカール付属!

B
ドイツ戦車兵（ノルマンディ1944）セット
え〜んた〜みっしょ——ん
!?
オンチだ
音痴だ
歌なのかそれは
原案

81

さらに恐ろしいことがこの5ヶ月あとに起こります

あの当時、すでに試作車輌はもとより計画車輌までもが次々にインジェクションキット化されていたので時間の問題かとは思っていたけど、まさかオブイェークト279のキットがバッティングするとはこの海のリハクの目をもってしても以下略。
それにしても典型的な「スクラッチを始めるとキットが出る」案件だったなあ。

B
オブィエークト279が
まさかのバッティング!
世も末だ!
279擬人化少女トロヤノフさん
採用

82

オブイェークト279のキット化でバッティング
世も末ですね…
素敵やん?
オブイェークト279少女
登呂屋信子さん

月刊アーマーモデリング2013年8月号（No.166）
（特集）目指せ! 上級テクニック　いますぐ使えるベテランモデラーのスゴ技／掲載
［特別付録］戦車模型を創ろう DVD 本誌スペシャル編集版

マスターボックス
コンテスト作品募集中！
今までここのカットでやってきた「フィギュア大喜利」みたいなのを出せば良いのだ!
※違いますからね

月刊アーマーモデリング2013年9月号（No.167）
（特集）至高の"ヒトマル" タミヤ1/35陸上自衛隊10式戦車徹底攻略法／掲載

いやいや、あながち間違いではありませんよ

この当時本誌で行われたマスターボックスコンテスト、キャッチコピーは「フィギュアを改造してウクライナに行こう」だったかな（違う）。
自分も応募すればよかっただろうか（また出来もしないことを言ってるぞー！）。

マスターボックスコンテスト
今までの
カット
ここのカットでいつもやってる「フィギュア大喜利」をやるんだな
ちがいます
採用

83

家格（年齢的に？）は師範代クラスですかな

戦車道を始めたクシャナ殿下。きっとトルメキア流戦車道とやらで弱小チームを蹂躙するのであろう。さらにはルールを拡大解釈して劇場版では（劇場版？）巨神兵を投入したりしそう。

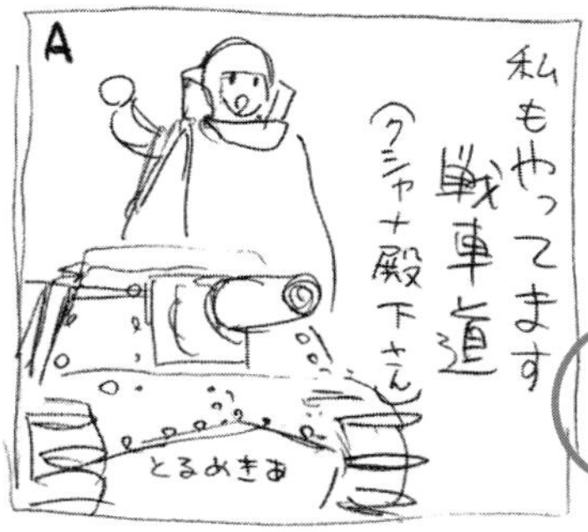
A
私もやってます戦車道
（クシャナ殿下さん）
とるめきあ
原案

84

私も戦車道始めました
クシ●ナ
負けたら王蟲踊りだからな!!
何それ……
※規定違反

月刊アーマーモデリング2013年10月号（No.168）
（特集）宮崎駿の雑学と妄想を模型で体現する!／掲載

戦車
MAIN
一〇式
ひとまるしき
一〇式コンテスト開催！

月刊アーマーモデリング2013年11月号（No.169）
（特集）ミリタリーフィギュア最前線！／掲載

乙案は特集に合わせた内容でした（こっちも見たかったなー）

10式戦車誌上コンテスト開催記念ということで戦車少女ヒトマルさん（仮称）誕生！　ただし砲塔を丸ごと頭に載せた大雑把なデザインで、まるで考えてない。
「考えてますよーだ！」（さっくっらカラー 24 ！）
画面デザインが艦これ風味なのは、描いた本人が艦これを始めて間もない頃だったため。

いまから始めるフィギュア製作！
ドイツ軍
1
乙案
10月らしくしてみました

85

生稲晃子《1917》がロシア革命ですよね（世界史年号覚え方あるある）

「11月と言えば」で革命記念パレードは普通出てこないのだけど、ソ連趣味者的にはこれで当然なのだ。
今ではこういった軍事パレードもネットでリアルタイム中継されたりする、すごい時代になったものであるよ。

86

11月といえば
1917
革命記念パレード

月刊アーマーモデリング2013年12月号（No.170）
（特集）チッピング塗装大解剖　プラスチックを鋼に変える魔法の技術／掲載

ほいで、けっきょく第1位はなんだったんざましょ？

前年のオブイェークト279の３社バッティングは本当に衝撃ニュースだった。そして１社だけ他社と色々と違う点も個人的には「なぜ？」と問いたくなるポイント。なお10大ニュースと言いながら、２位以外は何も考えていないのはお約束だ！

2013年模型界 10大ニュース
第2位
オブイェークト 279
3社バッティング
信じられなーい!!
1位は？

■月刊アーマーモデリング2014年1月号（No.171）
（特集）古今東西三色迷彩／掲載

A
古今東西
三色迷彩ゲーム!!
何ダソレ!!
不許可

87

初めて知った戦車がタイガーじゃない人も増えました

2014年最初の号なので、晴れ着に門松に鏡餅と、まさに新年アイテム尽くしで盛り上げたかったと供述している。お子さんと遊べるようにアーマーモデリングにこういう「せんしゃかるた」を付録にすれば良いのでは！
（※何がどう良いのかは考えないものとする）

88

ドイツの
ぐんばだ
よんごうせんしゃ
2014
寿

月刊アーマーモデリング2014年2月号（No.172）
（特集）カタカナ技法チンプンカンプン2　実践! ウェザリングマテリアル／掲載

100号記念パーティで悲しかったことって、何？

（P17 参照）

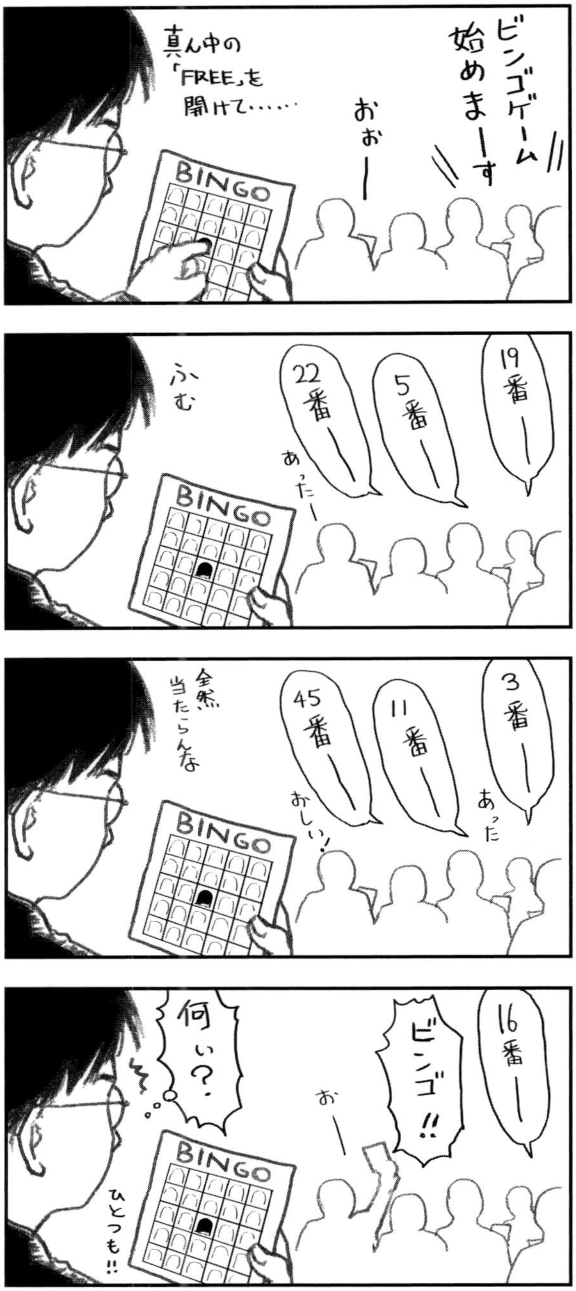
ビンゴゲーム始めまーーす
おぉーー
真ん中の「FREE」を開けて……
BINGO
19番ーー
5番ーー
22番ーー
あったー
ふむ
BINGO
3番ーー
11番ーー
あった
45番ーー
おしい！
全然当たらんな
BINGO
16番ーー
ビンゴ!!
おーー
何ぃ？
ひとつも!!
BINGO

最終的に穴が2つ増えました。

ちょっとひと息
いれませんか？

ロシア娘な館

六鹿氏といえば知る人ぞ知るソ連戦車研究家。毎月担当している『月刊アーマーモデリング』の「読者の声」コーナーのカット以外にもそれに関する含蓄のある記事や、はたまた模型作例を発表している。ここでその一部をご覧いただこう

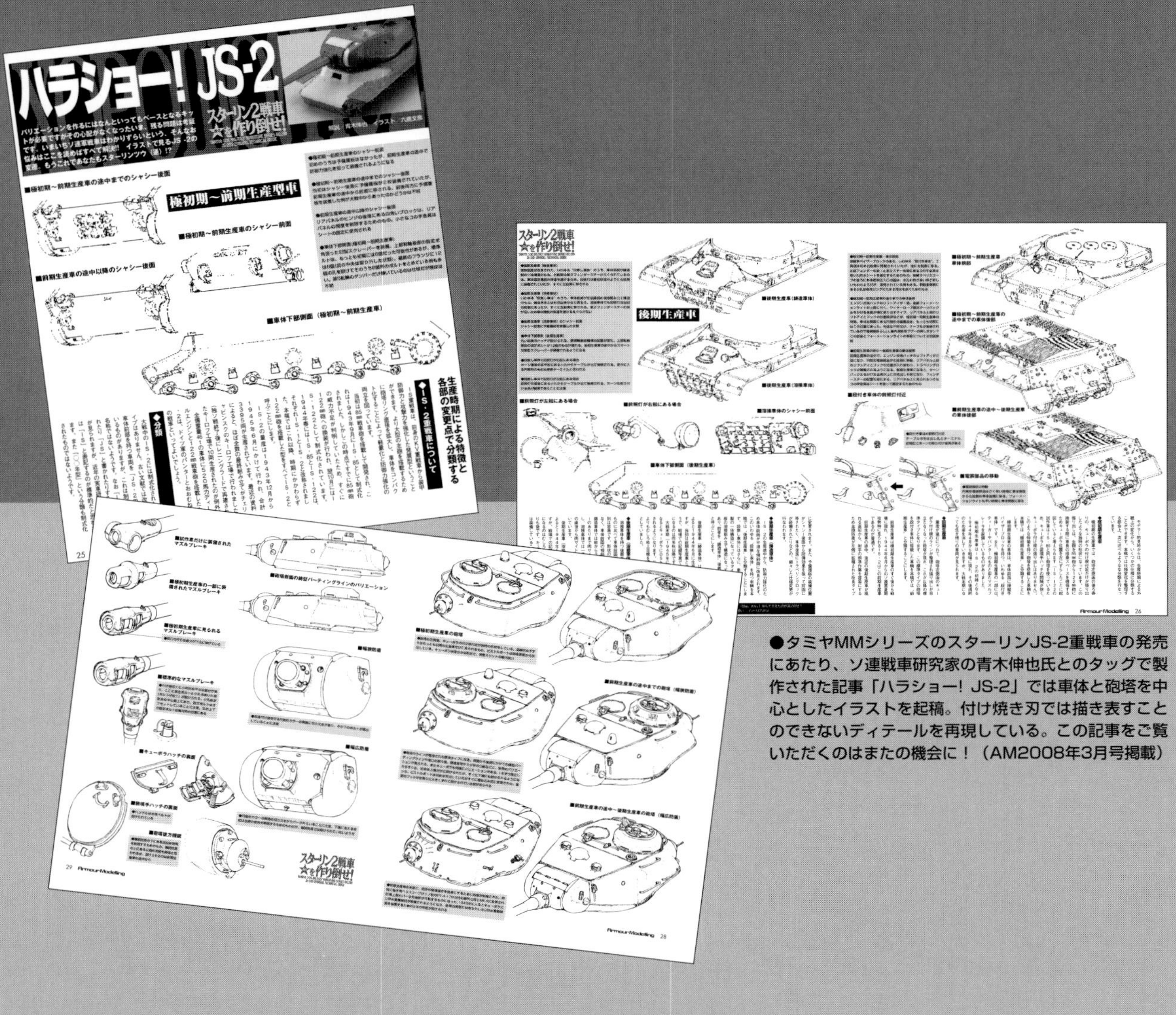

ハラショー！JS-2
スターリン2戦車☆を作り倒せ！
バリエーションを作るにはなんといってもベースとなるキットが必要ですがその心配がなくなったいま、残る問題は考証です。いまいちソ連軍戦車はわかりずらいという、そんなお悩みはここを読めばすべて解決!! イラストで見るJS-2の変遷。もうこれであなたもスターリンツウ（通）!?
■極初期～前期生産車の途中までのシャシー後面
極初期～前期生産型車
■極初期～前期生産車のシャシー前面
■前期生産車の途中以降のシャシー後面
■車体下部側面（極初期～前期生産車）
生産時期による特徴と各部の変更点で分類する
後期生産車

●タミヤMMシリーズのスターリンJS-2重戦車の発売にあたり、ソ連戦車研究家の青木伸也氏とのタッグで製作された記事「ハラショー！ JS-2」では車体と砲塔を中心としたイラストを起稿。付け焼き刃では描き表すことのできないディテールを再現している。この記事をご覧いただくのはまたの機会に！（AM2008年3月号掲載）

パンター戦車のDtoF

ロジーナちゃんの

【巻頭特集】

T-34のなにがそんなにショックなの？

解説：六鹿文彦（NANTOKA FUMIHIKO）

パンター誕生のきっかけになったのがソ連戦車T-34の登場です。これが世に云う「T-34ショック」なのすが、ドイツ軍にとってT-34のいったいなにがショックだったのか。ここでご本人に語ってもらいましょう。

本誌読者諸兄には釈迦に説法な気もしますがドイツ軍がT-34のどこにショックを受けたのかおさらいしましょー
当時の中戦車では最強クラスの長砲身76.2ミリ砲！当時のドイツ軍主力戦車の正面装甲も易々と貫通するのでかなりショック ※1
戦車少女 ロジーナちゃん
低燃費で航続距離が長く爆発しにくい ※2 ディーゼルエンジンがちょっとショック 現在のロシア戦車も基本的にこれの改良型を積んでいるくらい優れたエンジンだよ！ ※3
装甲防御力が当時のドイツ戦車よりはるかに高くて超ショック 良好な被弾径始の傾斜装甲はIII号戦車の50ミリ砲弾では貫通するのも一苦労！ ※6
K兵衛
生産性が高くて撃破しても撃破しても前線に補充されるからショック ※4
足回りは私のお下がりだよ
幅広の履帯だから接地圧が低くてロシアの泥道でも平気で走ってくるからショック ※5
魔少女 BTナナ
まあソ連軍なんてイモだと舐めきってたところに攻防走全てにおいて勝った私みたいな美少女が出てくればびっくりするよねー
偉そうに言ってるけ無線機は付いてな外部視察はできな2人砲塔は実戦で戦車長の負担が大き砲弾の収納もダメすぐ故障するしカタログデータだ鬼戦車じゃん
パンターさん

T-34車体正面
45mm厚の装甲板を30°に傾けているので約90mm厚に相当。その急角度によって砲弾を弾き飛ばす効果もあり。

III号戦車H型
30mm厚の装甲板に30mm増加装甲で強化されたがT-34相手では距離1000mでも危ない。

モデラー的薀蓄
ソ連戦車の「鋳造肌が荒い」や「溶接が雑」な定番イメージは、1941年後半の工場大疎開後に顕著な特徴なので、T-34やKVの初期生産型を荒々しく作るとじつは変！ バルバロッサ作戦の情景を作る場合など気を付けて！

ソ連のロジーナちゃん 質問コーナー
ロシア語発音的には「ロージナ」の方が近いのでは？
フ●ミの1/76キットの刷り込みですよ
戦車道ですか？
ちがいます
某社がフィギュア化するとかいう話があったような……？
ノーコメント
ノーコメントです
※フラッシュの点滅にご注意ください

※1　独ソ戦開始時のソ連戦車兵の練度は超低いので、当たらなければどうということはない　※2「燃えない」とは言ってない。
※3　元はイタリア製のパク……すごく参考にしました。　※4　中の人は死ぬ。　※5　変速機はド旧式な上に工作精度も低いのでまともに走るのも辛い。　※6　傾斜装甲のせいで車内容積がかなり小さくなって居住性は最悪。

SOVIET HEAVY TANK KV-1

Mod.1940 With L-11 Gun

KV-1重戦車1940年型
ズベズダ　1/35
インジェクションプラスチックキット
発売中　税込3150円
(問GSIクレオス
☎03-5211-1844)
製作・イラスト・文／
六鹿文彦

NEW KIT PICK-UP

自国の戦車だけに気合いが入っているとの評判のズベズダのKV-1に、短砲身76.2㎜砲を備えた「1940年型」が登場しました。本誌「読者の声」冒頭の美少女イラストを描いている、六鹿文彦さん（じつはソ連戦車に造詣が深い）に、より深いポイントまで踏み込んでレビューをしていただきました。初期のKV-1の変遷が一目でわかる図解は必見です！

KV-1初期生産型まるわかりマニュアル

このキットは“防盾”がエライ！

作ったのはこの人⬇

●わかる人には受けるけど、わからない人にさっぱり？　というマニアックなギャグを毎回披露してくれる六鹿さん。じつは大のソ連戦車マニアなのです

KV-1 1939年型防盾（L-11用）バリエーション

前期型 トランペッター 1940年型キットのオプションパーツはこちら

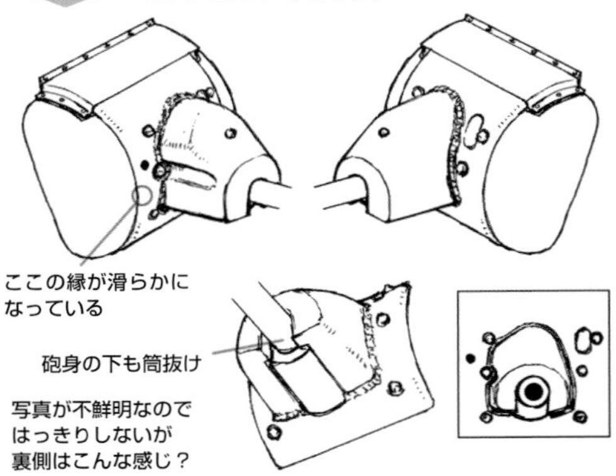

後期型 ズベズダのキットはこちら

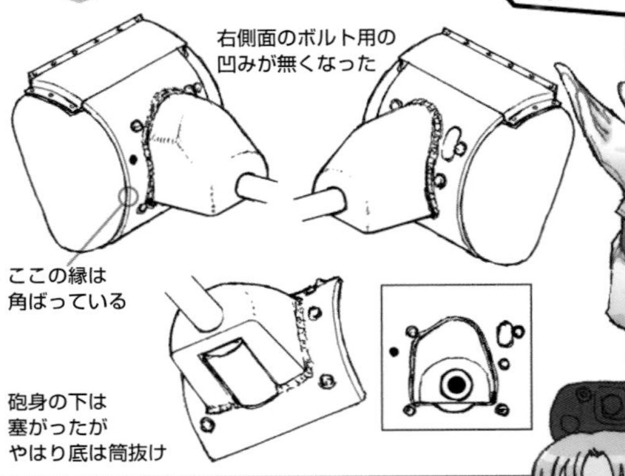

KV-1 1939年型〜1940年型の仕様変遷

(※俺調べ。便宜上、防盾と砲身の形状で「前期」「後期」に勝手に分類しました)

	1939年型 前期	1939年型 後期	1940年型 前期	1940年型 後期
砲	30.5口径76.2㎜砲「L-11」		39口径76.2㎜砲「F-32」	
防盾	**L-11用 前期型** 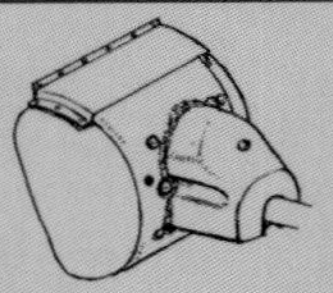 (上の図参照)	**L-11用 後期型** 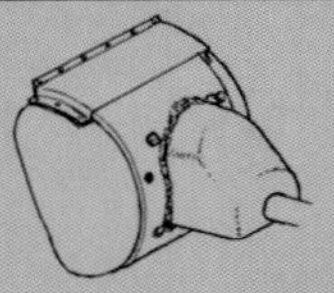 (上の図参照)	**F-32用** 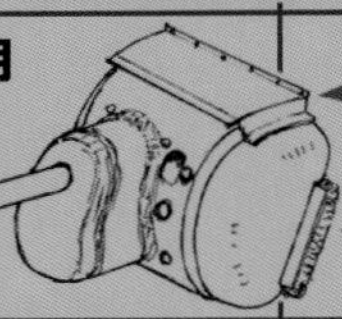 全体の装甲強化で防盾も厚くなったためか砲耳との段差が大きくなり、上のカバーも高くなった……砲耳部分は増厚してないのか？ 位置決め用の板切れが「砲塔側」に熔接される	
砲塔	**エッジ溶接** 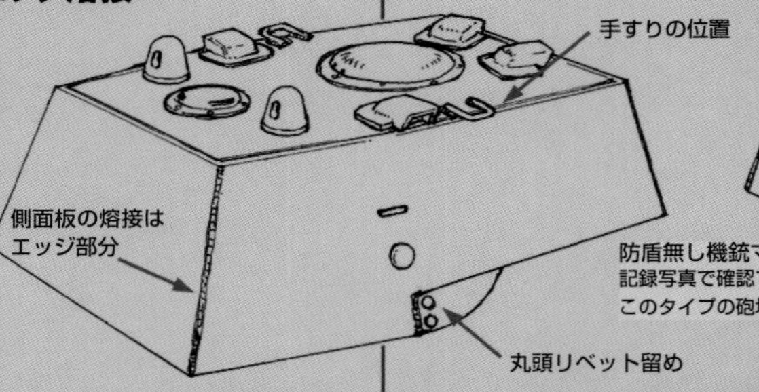		40年型前期で手すりだけ前方に移動した仕様も見受けられる 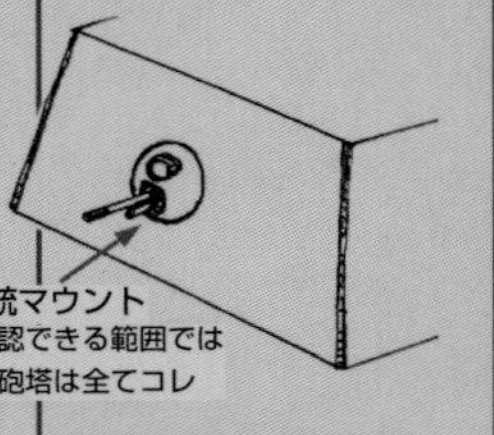 40年型前期もこの砲塔だが装甲厚も同じなのだろうか	**イモ接ぎ溶接＋接合ピン** 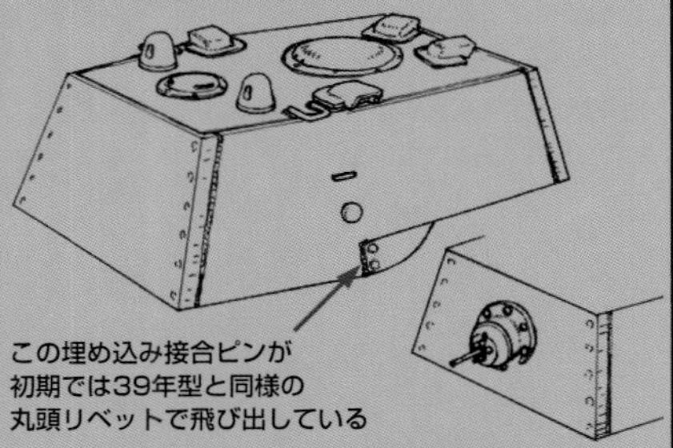
車体機銃	**ピストルポート**	**防盾付き機銃マウント** 39年型後期の途中から装備。砲塔後部のマウントとは取り付け部のボルト基部あたりがわずかに違う形状なので注意		
工具箱	**右側1 左側2** 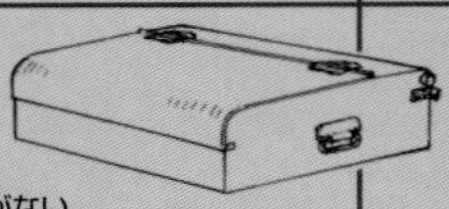 蓋の横に補強部分がない	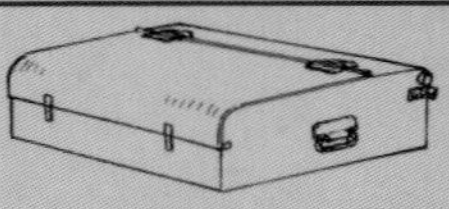	**右側2 左側1**	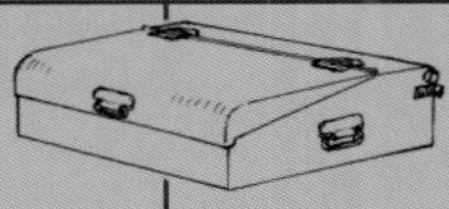 40年前期型でも39年型と同じ、初期型工具箱を載せているものもある
転輪	**中央部8穴** リブ有りとなしの2種類 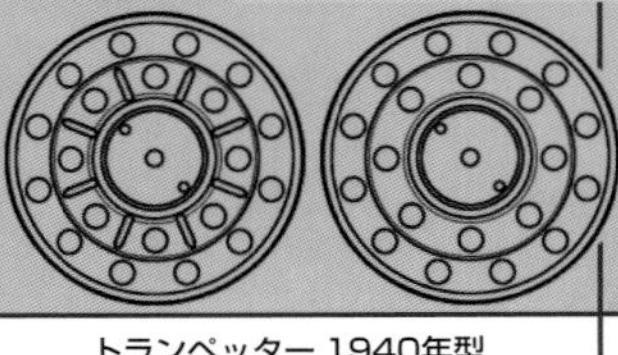	**中央部6穴** 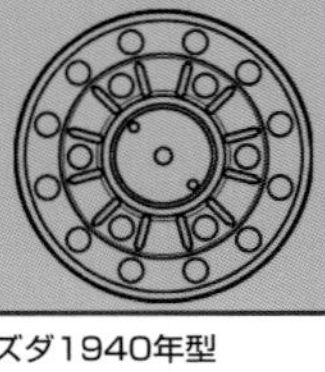	いつ8穴から6穴に切り替わったのかは不明だが、確認できる範囲では8穴転輪は39年前期ばかり。偶然か？	**中央部6穴＋リブ付き** 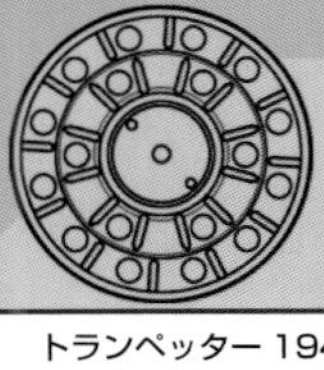 40年型の途中から外周にリブが付いたタイプが登場
1/35キット	トランペッター 1940年型（オプション防盾パーツ＋同社KV-2初期型足回り）	ズベズダ1940年型	該当キットなし（右欄のキットの砲塔修正で）	トランペッター 1940年型 ズベズダ1940年型 タミヤKV-1E（増加装甲を付けない＋小防盾）

その他：戦時生産型ではないので、装甲板の切り出しや鋳造、熔接は結構ていねい。
国籍マークなどのマーキングや多色迷彩はほとんど見られない（とくに39年型）

ズベズダのキットで１９３９年型を作る

ズベズダの今回のキットは「Ｌ・11装備の１９４０年型」と銘打っていますが、その内容は同社から先に発売中の１９４０年型（以下40年型）のキットに、短砲身76・２㎜砲Ｌ・11のパーツを追加したものです。Ｆ・32型長砲身とその防盾ははランナーから切り取られているので選択式ではありません。じつはＬ・11型主砲は１９３９年型（以下39年型）の特徴なのです。ただ、39年型は砲と防盾以外にもいろいろ差異がありまして、キットのままだといろいろ違いがあるのです。でも、せっかくＬ・11砲身と特徴的な防盾がパーツ化されているので、より正確な39年型の再現を目指して、いろいろと追加工作をしてみました。

【防盾】

39年型ならではのＬ・11用防盾は実車では２種類あり、ズベズダのキットは後期型です（多分）。実物は底面の一部が開口していて、砲身スリーブが少しはみ出しています。作例は５㎜プラパイプで再現しました。また、砲耳左右の板は39年型にはありません。

【砲塔】

砲塔側面板は39年型（と40年型初期）では各エッジ部分で溶接されているので、装甲板断面と接合ピンのモールドを消して修正。天板の手摺は車長ハッチの横にあります。後部機銃マウントは実車写真で確認できるものはすべて防盾なしで、40年型の初期生産分も同様なので、39年型ではすべて防盾なしだと思われます。

【車体】

車体先端の上下構造接続板？には埋め込みピンが上下それぞれ11箇所あるので、１㎜径の金属棒を熱してから押し付けて再現しました。前方機銃は、Ｌ・11用後期防盾を装備した本キットでは機銃マウントのままでもピストルポートに改造してもどちらでもよいです。ほかには、説明書で指示された追加装甲板は不要。機関部のボルトが平頭になっていたので、ヒケ修正のついでにマスタークラブの０・９㎜径尖頭ボルトに置き換えました。

■基本塗装はイメージ優先で、Ｍｒ.カラーのＲＬＭ82ライトグリーン。汚しはパステル。泥はポリパテに鉄道模型のシーナリーと砂、パステルを混ぜて塗りつけた。対独戦が始まる前の1940年末のソ連国内という脳内設定で、バトルダメージは無し。頻繁に故障したであろう機関部の周りは塗装の剥げや汚れを多めに入れている。単品でも小汚いのが好みなのだが、ここ１年以上は組むだけで塗装をしていなかったためか、ただ汚いだけになってしまい、大変お恥ずかしい限り……。
1 ピストルポートのひもと牽引ロープは金属線を使用した。
2 前照灯のレンズは、キットに透明パーツが入っている。
3 単品作品とはいえ、フィギュアがいないのはさみしいので戦車長を乗せた。タミヤＫＶ-Ⅱに付属する『ガッツおじさん』を改造。じつは９年前に作ったもの。
4 エンジンデッキの吸排気ルーバーのメッシュはキットではプラパーツなので、金属メッシュで作り直している。

NEW KIT PICK-UP

SOVIET HEAVY TANK

KV-1

Mod.1940 With L-11 Gun

2

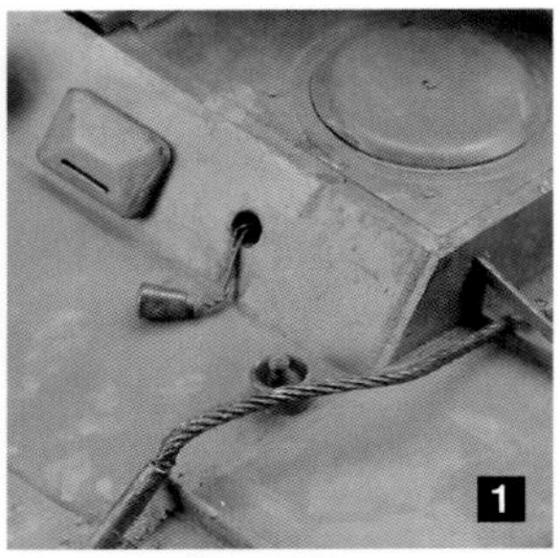

1

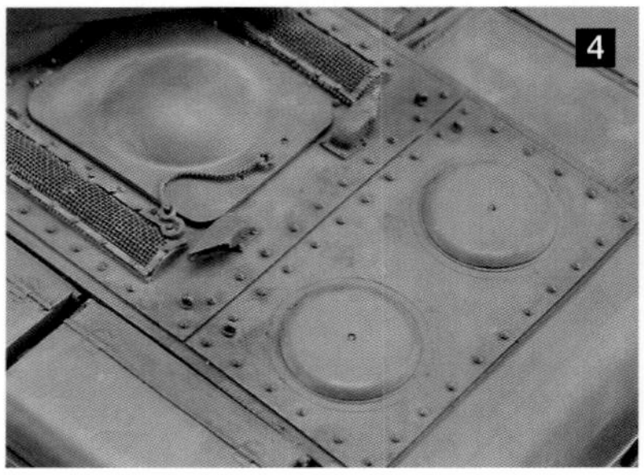

4

3

車体の前後長はタミヤのキットとほぼ同じで、トランペッターのものより（主に機関室前半が）短いのですが、寸法は資料によってまちまちなので気にしないことにしました。

【車外装備品】

工具箱は、ふたの側面に補強の板がないものが標準で、ふたに取っ手がないものと留め金？がふたつ付いてるタイプがあります。ズベズダのキットのパーツは一見、開けた状態にもできそうなのですが、実物と違う分割なので開けた状態では少々変です。しかも、縁を薄く処理する辺を一部間違えているというドジっ子ぶりです。いったん組んでから『のっぺらぼう』に削って、ディテールを追加する方が工作は楽です。工具箱は右側にひとつ、左側にふたつで、この配置も39年型の特徴。

【足周り】

39年型は外周のリブがない転輪が標準です。単純にリブを削り取ろうかと思いましたが、内側の『のっぺら転輪』の方がディテールが少しよいので、こちらを外側にして外周部に穴を開けました。外側と内側が違う転輪というと、フジミ1／76のT・34を思い出しますねぇ。転輪中央の内蔵緩衝ゴム押さえは8つ穴のタイプもありますが、これは初期生産分のみのようなのでキットのままでいいでしょう。サスペンションは、アーム基部がゴツく、ボルトが6つの39年初期型の特徴を再現するために、パテを盛って修正しました。上部転輪は補強リブ付きが39年型の標準？　です。

ズベズダのキットは、東欧製キットによく見られる大きなバリやヒケ、離型剤の油分などがほとんどない組み立てやすいキットでした。砲塔内部やエンジンの再現、各ハッチとクラッペの可動など、プレイバリュー的に頑張っている点も好感が持てます。ソ連戦車ファンなら作って損はない、楽しく組むことができたキットでした。

六鹿文彦
Fumihiko MUTSUGA

●読者ページの変なカットを毎月描いてますが、まさか作例製作にかり出されるとは思いませんでした。細部を調べるうちに時間がなくなり、慌てて塗ったらこの有様で……（以下略）

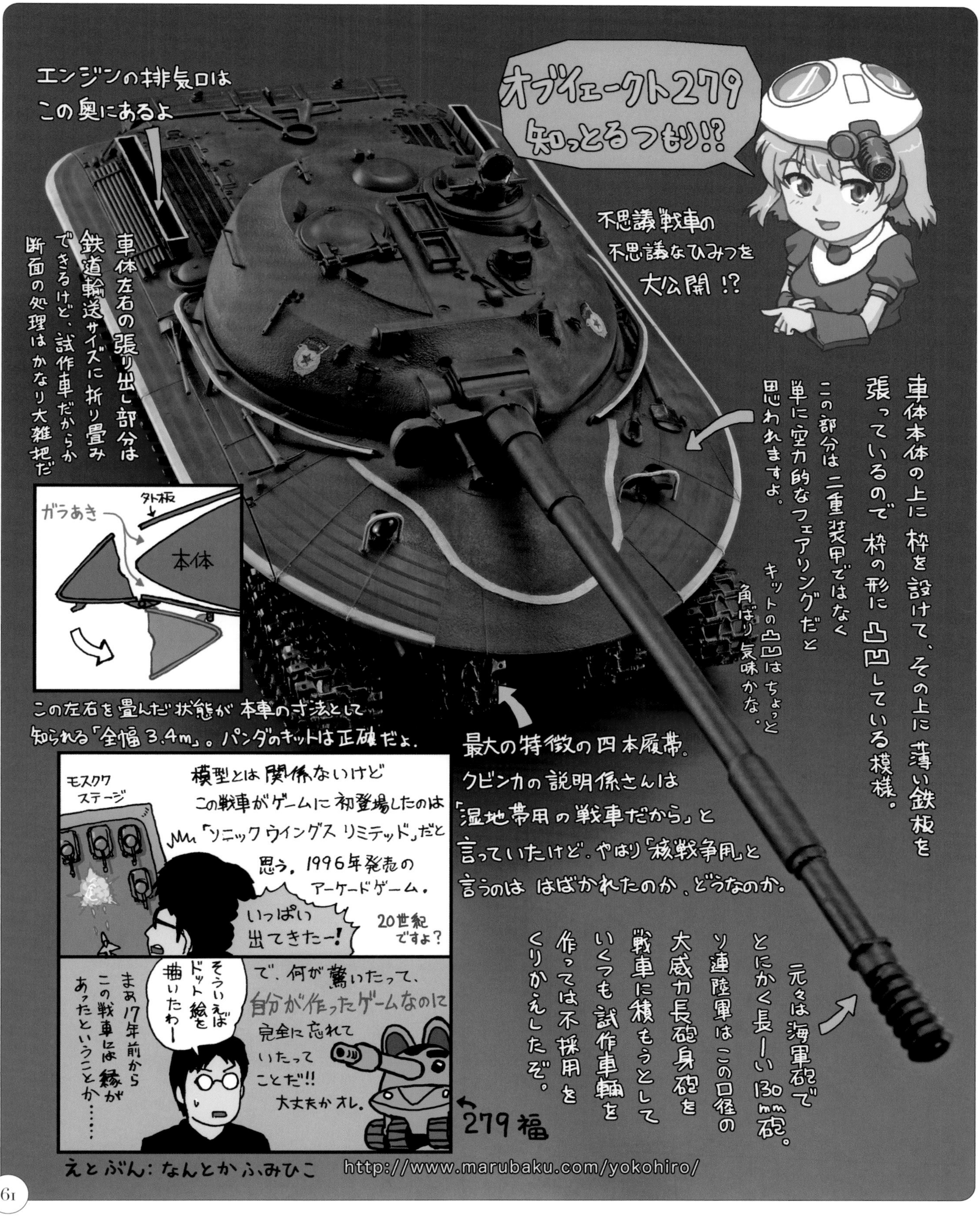

エンジンの排気口はこの奥にあるよ
オブイェークト279 知っとるつもり!?
不思議戦車の不思議なひみつを大公開!?
車体左右の張り出し部分は鉄道輸送サイズに折り畳みできるけど、試作車だからか断面の処理はかなり大雑把だ
ガラあき
タト板
本体
この左右を畳んだ状態が本車の寸法として知られる「全幅3.4m」。パンダのキットは正確だよ.
車体本体の上に枠を設けて、その上に薄い鉄板を張っているので枠の形に凸凹している模様。
この部分は二重装甲ではなく単に空力的なフェアリングだと思われますよ。
キットの凸凹はちょっと角ばり気味かな。
最大の特徴の四本履帯。クビンカの説明係さんは「湿地帯用の戦車だから」と言っていたけど、やはり「核戦争用」と言うのははばかれたのか、どうなのか。
元々は海軍砲でとにかく長ーい130mm砲。ソ連陸軍はこの口径の大威力長砲身砲を戦車に積もうとしていくつも試作車輌を作っては不採用をくりかえしたぞ。
モスクワステージ
模型とは関係ないけどこの戦車がゲームに初登場したのは「ソニックウイングス リミテッド」だと思う。1996年発売のアーケードゲーム。
いっぱい出てきたー!
20世紀ですよ?
で、何が驚いたって、自分が作ったゲームなのに完全に忘れていたってことだ!! 大丈夫かオレ。
そういえばドット絵を描いたわー
まあ17年前からこの戦車には縁があったということか……
279福
えとぶん：なんとかふみひこ
http://www.marubaku.com/yokohiro/

車登場!

▲スクラッチビルドで製作中の1/35と1/144。1/35は履帯もあるにはあるが、複製が間に合わず全然足りないので今回は涙をのんだ。4年とかそれこそ10年前とかには製品化されるとは思わなかった、それでもほとばしる愛はこのようなカタチで現れたんですねぇ。これはこれで完成をさせますよ。いまなら履帯はあるし装備品もある。なんなら車体と転輪など足周りもあるから全部使えば……。

オブイェークトとともにあった10年間の模型人生

2003年秋、クビンカ戦車博物館でこの不思議戦車の実車を見てからというもの、実測資料をお借りして本車の1／144ガレージキットを製作し、さらに勢いで4年前から1／35のフルスクラッチまでもはじめた自分ですが、近年各社から試作・計画戦車のキットが次々発売されるので、そろそろこれも出るだろうと予想はしていました。

でもまさか3社競作とは……まあ、ここまで来たら3つとも作って自分のフルスクラッチと並べますけどね！

（文／六鹿文彦）

Объект279

冷戦時代のソ連軍怪物試作重戦

先陣を切ったパンダホビーの「オブイェークト 279」をレビュー

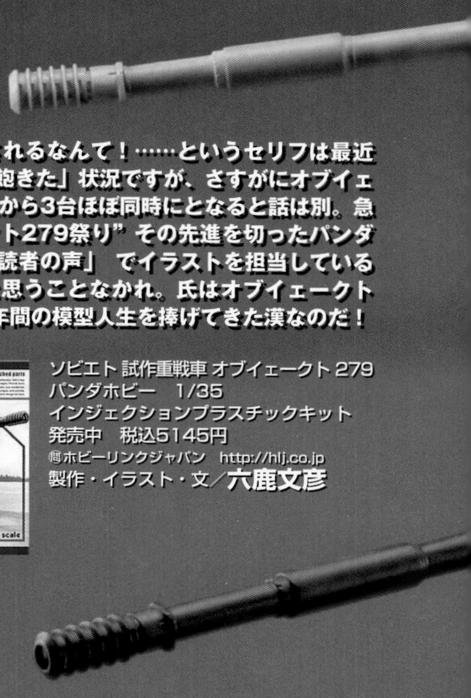

まさかあの車両が製品化されるなんて！……というセリフは最近の戦車模型事情では「聞き飽きた」状況ですが、さすがにオブイェークト279が、それも数社から3台ほぼ同時にとなると話は別。急遽起こった“オブイェークト279祭り”その先進を切ったパンダホビーのキットを、本誌「読者の声」 でイラストを担当している六鹿氏が製作。なんで？と思うことなかれ。氏はオブイェークト279が好きすぎてここ10年間の模型人生を捧げてきた漢なのだ！

ソビエト 試作重戦車 オブイェークト 279
パンダホビー　1/35
インジェクションプラスチックキット
発売中　税込5145円
㈲ホビーリンクジャパン　http://hlj.co.jp
製作・イラスト・文／**六鹿文彦**

●作例はキットのプロポーションを活かしつつ、ライトレンズをクリアーパーツに交換するなど細部に手を加えることでより精密感を高め製作。計画車両なので空想だはあるが塗装は製作者の好みでパレード仕様となっているが、ソ連軍車両好きの製作者だけあって、なかなか説得力ある塗り分けとなっている。

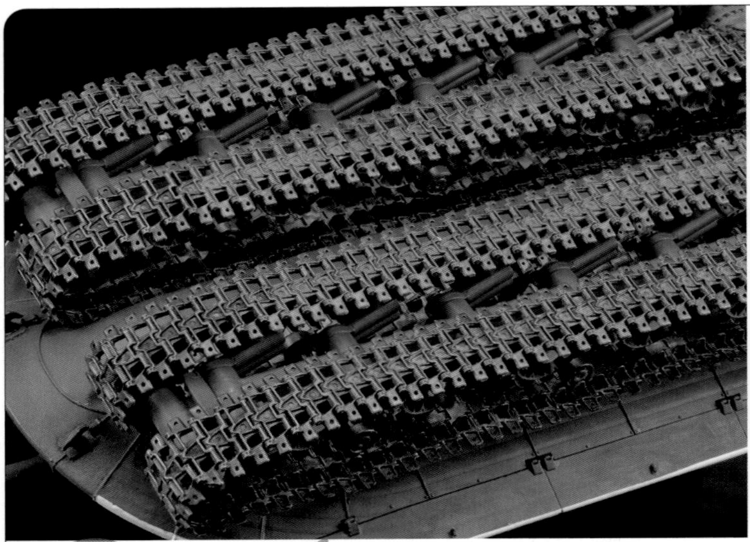

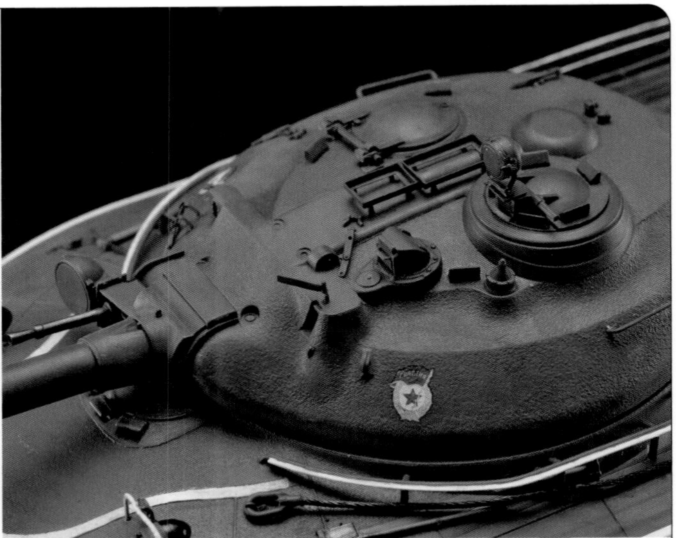

SOVIET Объект279

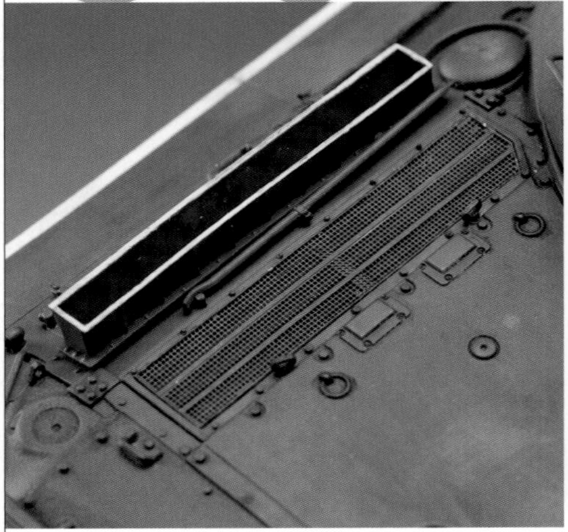

10年間の想いを果たす。

　3社競作の第一弾となったパンダホビーのキットを作りました。他2社のキットと比較したいので基本的にストレート組みです。本キットは、なぜか全体的にちょっと前？の国産キットっぽい懐かしさを醸し出していますが、全体の寸法やプロポーションなどはかなり正確なので、細部に手を入れると見違えるものになるはずです。手を入れたい点としては次のとおりです。

●砲身基部（B8）の同軸機銃が付く部分の天板は型抜きの都合で省略されたディテールを再現すると、目立つ部分なので効果十分。

●砲塔上面のステレオ測距儀右端（B14）を砲塔に取り付けると生じる隙間や段差はキレイに消します。ここも目立ちますよ。

●稼動状態を再現する場合はサスペンションの角度をもう少し下げる（22～24度くらい）と実車に近い感じです。

●ライトのレンズをクリアパーツにするのもお約束で。

◆塗装は空想、いや妄想？

　ぜひやってみたかった、赤の広場パレード仕様としました。当然妄想なのですが、実際の参加車両の化粧塗装を参考に、もっともらしくできたと六鹿は自画自賛します。パレード塗装ゆえ汚しがほとんど無いのでグラデーション塗装も考えましたが、男らしくあえてスミ入れ程度に留めました。親衛部隊マークは本誌165号の付録デカールを使用。薄くて質が良いですね。

◆まとめ

　ディテールが甘い部分もありますが、実車再現度は高くてお奨めです。組立説明書の指示間違いが色々あるのと、部品の合いがいまいちな箇所もあり、初心者だと苦戦するかもしれませんが、落ち着いて作ればたぶん大丈夫。履帯の多さは……自作に比べれば。

　作品は当方のWebサイトでも公開中なので「CHOCOLATE UNIT」で検索してたどり着いてください。

六鹿文彦
Fumihiko NANTOKA
●本誌では「読者の声」のコーナタイトルにあるイラストを担当する。生粋のソ連軍戦車ファン。模型の製作はもちろん、海外の博物館に実車を見学（時には採寸）するほどの戦車好き。もちろんそのほとんどはソ連軍戦車。過去にも模型作例を掲載している。

日本陸軍戦車兵
2体セット
MYSTERY MINIATURES
キューティ
8bit
この謎のキャラが
どんな活躍をするのかと
装填の訓練に
なるんだよ
どうしてピザ焼きの練習を…？
ドイツ歩兵
お盆精霊馬セット
簡単でしょ？
いつもそう言うね
分からないよ
ボブボブの
塗装教室
いいえ、
違います。
積みキット消化！
アンタできるの？
ソ連兵
酔っぱらい
介抱セット
さ、
魚料理は
得意なんだ
シベリア送り
確定
ソ連上級将校セット」の
フィギュアをこういう
組み合わせにしたい！
大きいブラを干すなよ！
ちっちゃく
ないよ！
世も末
ですね…
素敵やん？
ティーガーを
求める！
2013年模型界 10大ニュース
第2位
オブイェークト 279
3社バッティング
私も
戦車道
始めました
一〇式
コンテスト
開催
ひとまるしき
コンテスト作品募集
ヤァ
チョコを
溶かして
バレンタインの
ツェメリット
コーティングの
練習ヨ！
くりかえし
使えるワ
です
えんじぇる
曲がっちゃった!
特集：コンテストに行こう
違いマス！
ミス戦車
わからん
福田が
ハンガー
ヌンチャクを
握った！
来年のことを言うと
鬼が笑う
早いなぁ
お姉ちゃん
あーっ！
また新しいの
作ってる！
前のやつ
完成してないの
モスクワに
行きたいかぁぁ

Chapter2

月刊アーマーモデリング
「読者の声」タイトルカット

2014.3 ～2018.10

キューティちゃん
(9989)
なんとか
ふみひこ
ヤア
チョコを溶かして
バレンタインの
プレゼント作りかい
チョコ
ツェメリット
コーティングの
練習ヨ!
くりかえし
使えるワ

月刊アーマーモデリング2014年3月号(No.173)
(特集)The・対決!／掲載

使用済みのチョコはスタッフが美味しくいただきました

唐突な新聞４コマ漫画風。たぶん「もうすぐ100回だ」と気づいたので、さりげなく9989回とアピールしたかったっぽいけど、アピールの方向性が分かりにくいよねえ。あと、原案と全く違いすぎ。何を考えていたんだろう俺。たしか当時「このシリーズを続けるのも面白いかも」と考えてた記憶があるが実現していない。飽きたな？

B
手作りチョコ〜
いいえ
スイーツデコです
原案

89

アナトミーフィギュア、改造の素体としてご利用ください(※)

当時モデルカステンが出して好評だった1/35フィギュア『アナトミーシリーズ』の女の子。
元ネタのフィギュアのイメージで画風も80年代ポップな感じにしたかったようだが、「アナトミー」で懐かしの漫画『ターヘルアナ富子』を思い出してしまったので、「OPE SHIMASHO ！」とローマ字で書く羽目に。

MOTO NO FIGURE NI MATTAKU
NITEINAI NOWA KAITA YATSUGA
HETA DAKARE DEATH.
KON-NA KOTO WO KAITE IRUTO
SUGOKU 80
NENDAI
MITAI DE
SHINISOU.
OPE
SHIMASHO!
ANATOMY-KO chan

冬季迷彩 特集?
雪はもうたくさんだよ!
ドイツ兵
ハンス
(関東
在住)
不許可

90

月刊アーマーモデリング2014年4月号(No.174)
(特集)冬季迷彩塗装秘伝ノ書／掲載
※2021年6月現在もアナトミーフィギュアは販売中でーす

特集「人形の乗せ方」
よっ！大統領！
はっはっは 大統領ではないがね。
そういうノセ方じゃないよ
とゆーか死語？
8bit

月刊アーマーモデリング2014年5月号（No.175）
（特集）フィギュアの乗せかた合わせかた　フィッティングこそが魅せるコツ!／掲載

昭和な掛け声、最近聞かなくなりましたね

フィギュアの乗せ方特集に合わせてなんだけど、どうも間違っている。その人は大統領じゃなくて大総統だよ。そっちじゃない。
イラストの戦車は2009年のアニメ版。原作の菱形戦車風ではなくⅢ号戦車に似た感じのデザインでイカすけど、大総統にあっさり撃破される。

A

特集・人形の乗せ方
よっ！大統領っ！
そういう「ノセ方じゃないよ
いやあそれほどでも
採用

91

ジープと物量に負けた――ってよく言われます

やはり近代戦争は兵站システムを確立している国が強い。まあ、そんな真面目なこと考えて描いてはいませんが。

中村桜さんフィギュアネタはこの時は惜しくも採用されなかったのに、何年も後になってこの本の帯に寄稿していただくことになってありがたいやら申し訳ないやら。

A

中村桜戦車長出動ー
乙案

92

特集 アメリカ軍の主力戦
ドドドドド
まあ間違っちゃいないけど……

月刊アーマーモデリング2014年6月号（No.176）
（特集）★模型で綴るアメリカ陸軍の主力戦車史／掲載

台座をつけるのはＡＭ《アーマーモデリング》創刊時からのモットーです

ダイオラマクリエイター特集ということで、創造主的な爺さんを描いてみる。この爺さん、自分のもののように便利に描いてるけど、そもそも自分のキャラでは無い。ゲーム会社時代に色んなプロジェクトに登場させたものだからフリー素材みたいに考えている節がある。

台座あれ！
べんりだなぁ
ダイオラマ創造主
クリエイター

月刊アーマーモデリング2014年7月号（No.177）
（特集）ダイオラマ創造主への第一歩　ベース製作のA to Z／掲載

A
70周年
D-DAY
乙案

93

酷暑の折がら、どうぞご自愛くださいませ（日焼け止め塗れよ〜）

たまにはサービスカット的なものを描いて人気を取ろうと思ったのかどうかは分からないけど、こんがり焼けたアフリカ軍団女の子グライフさん（仮称）。これが後の「ロンメルさん」である。嘘。

A
夏
GREIF
原案

94

暑中御見舞申し上げます
悪魔の園
GREIF

月刊アーマーモデリング2014年8月号（No.178）
（特集）奥深き単色迷彩の世界／掲載

お盆になるとご先祖様がこれでやって来ます（帰りはゆっくりと）

精霊馬ネタ再び。今回はsd.kfz.ナンバーが付いてそうな奴らになった。どうせなら中に搭乗できる風にすればご先祖様も喜ぶ（かなあ）。
それにしても、なぜ額に「盆」と書いた霧の艦隊の人がいるのか、これが全然思い出せないぞ。

月刊アーマーモデリング2014年9月号（No.179）
（特集）戦車模型の工作術“基本編”／掲載

95

ダイエットの結果、首から上は砲塔だけになりました♡

特集絡みネタだけど、Ⅳ号戦車の砲塔を被った女の子という深く考えてない感がすごい。まあたまにはそういうのも良いんじゃないかな。知らんけど。
あ、ビキニ姿の方が良かったんじゃないか？

B

96

■月刊アーマーモデリング2014年10月号（No.180）
（特集）大戦を戦い抜いたドイツⅣ号戦車の系譜　軍馬の血統／掲載

話題沸騰？
降下兵セット
僕たちが主役の筈なのに
きゃっきゃっ
いやーん
そんなことより肝心な所が見えないんじゃよ
親心
良心

月刊アーマーモデリング2014年11月号（No.181）
（特集）フィギュア塗装集中講座／掲載

単行本ではモザイクが取れるのかと思ってました

マスターボックス『米/独降下兵セット　沐浴中女性付』であり、あくまで女性はオマケだと主張しているけど、被告の言い分は無理があるだろう。
このイラスト、モザイクの向こうはかなり適当に塗ってあるだけなので、モザイクを外したところでご期待には沿えないのであった。

A

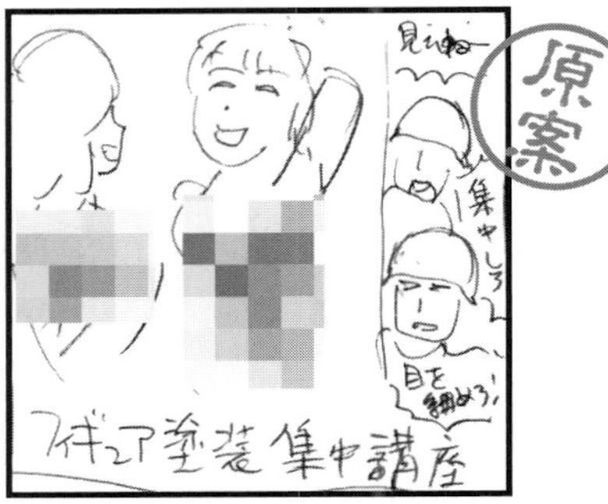
見えねー
集中しろ
目を細めろ！
フィギュア塗装集中講座
原案

97

おかげさまでM4中戦車も幅広く知れわたることに

映画『フューリー』特集。
とは言っても、シャーマンやティーガーは一切関係なくただの「フューリー」という単語大喜利となったので、良く知らない飛行機を描く羽目になった（自業自得）。

B

ゾンビ対姐さん
ゾンビを適当に置くだけで楽しげに。
助けて
乙案

98

特集
フューリー
るFury
違うだろー！
色々とな。

月刊アーマーモデリング2014年12月号（No.178）
（特集）フューリー　―FURY―／掲載

Frohe Weihnachten!

サンタさんのイメージカラーが赤になるのはWWII後なので可

ドイツ兵っぽいサンタさん。
カラーじゃないので分からないけど、おそらくドイツの黒いサンタクロースなのだ。いきなりポテトマッシャーを投げ込んできそう。きっとスターリングラード帰り。

月刊アーマーモデリング2015年1月号（No.180）
（特集）●模型で綴る日本の主力戦車史／掲載

99

おかえりなさい。第1回目少女が100回記念にも登場〜

気が付けば100回記念！　第1回目と同じキャラと構図で描いてみる企画である。キャラの顔がだいぶ違うけど、ずっと色んな絵柄を試しているので自分の作風が未だに完成していない気がしている。
あ、前のは服をブカブカにする表現が不十分だったので、そのあたりにこだわったんだけど、今見るとこれもまだ不十分に思える。

100

このカット100回目！ご声援感謝です
ご声援
聞いたことないが…
というか本当に誰なんだ

月刊アーマーモデリング2015年2月号（No.181）
（特集）はたらく軍用車両／掲載

「従軍牧師セット」かと思ったら「受験生と先生セット」だった。
受験勉強いつ頑張るの？
今でしょ！
言っちゃったよこの人……
ざわ…

月刊アーマーモデリング2015年3月号（No.185）
（特集）Tiger I Expo 2015／掲載

やっぱり1/35高校生日常セットの製品化が必要か〜

ブロンコの『米従軍牧師＆兵士セット』。
流行り物に乗ってみただけなんだけど、祈っている兵士のポーズも考慮すると『ひょうきん族』の懺悔コーナーネタでも良かったのではないか。懺悔なさい。

「従軍牧師セット」かと思ったら
受験生セットだった説
今でしょ
言っちゃったよ
原案

101

新製品は必ず2個買いするから在庫はどんどん増えていきます

モデラーがっこう（か●さとし：作）だろうか。
最近のガンプラだと「高値で転売された新製品！」とかそんな感じになるのかな？　困ったものだ。

A
特集 Mud&Dust！
汚れた戦車もこのクリーナーでピッカピカ!!
やめてー
せっかくきれいに汚したのにー
きれい
不許可

102

卒業式シーズン
作らず積んだ新製品！
新製品！
積んどくモデラーからの卒業式？

月刊アーマーモデリング2015年4月号（No.186）
（特集）Mud & Dust!／掲載

戦車模型塗装の非常識
ザ・グレート・カ●キ直伝（ウソ）
毒霧！
カラ
※良い子は真似しないでください

月刊アーマーモデリング2015年5月号（No.187）
（特集）戦車模型塗装の常識非常識／掲載

水性カラーでも、決してやらないでくださいね

懐かしいですね毒霧。今でもプロレスでたまに見るけど。こういった風に絵具を噴いて絵を描くアートな人がいたような気もするけど、普通の絵の具でもどうかと思うね。あ、テレビで「自分のおっぱいに絵具を付けて絵を描く女性」を紹介してたので、それにしよう！　プラモだと部品取れまくりそうだけど。高値で売れる（確信）！

C

戦車塗装の非常識
それは毒霧だ
原案

103

女子高生（?）が塗装したことに意義があるんですよ

先月のパンターが完成！　実は今月号のパンター特集に合わせた計画的犯行……ではなく偶然の産物。そういえばこのパンター、『みりたりーあねくどーと』の絵を流用しているのはこの本を買ったキミと僕だけの秘密だぞ。

先月号のパンターが完成(?)したもよう
てへへ♡
やっぱり毒霧塗装は駄目でした
デロ〜〜ン

月刊アーマーモデリング2015年6月号（No.188）
（特集）パンター戦車のD to F／掲載

A

やっぱ毒霧はあかんわ
先月号のパンターが完成したもよう
採用

104

ピンナップ戦隊
へそレンジャー
へそブロンド
へそグリーン
へそブルー
へそストライプ
へそコマンダー
へそレッド

月刊アーマーモデリング2015年7月号（No.189）
（特集）単品派モデラーにきっと役立つベースを作ろう！／掲載

最初のメンバーへ、へそブロンドがあとから加わるから？

マスターボックスの『ピンナップガールズ6体セット』。箱絵がどう見ても戦隊メンバーと司令官の構図なので、何レンジャーだろうかと眺めていたら、全員の共通点がへそ出しだった。
でも「へそブロンド」だけなぜ欠席扱いなのか。

A

へそ出し戦隊く
ピンナップ
レンジャー
原案

105

モデルはあのメーカーのあの人ですね

ブロンコの『イギリス 空挺部隊Bセット』。
イギリスとなるとすぐにダージリン様を便利に使うのはどうなのか。しかも唐突に子連れ狼。
どうでもいいことだけど大昔にファンロードのレポート漫画で使ってた内輪ネタ「カートにて逃走中」の再利用をしていて、我ながら呆れた。

B

ちょい足しディテールアップ
「ちょっとだけヨの工作」
?
ちがうョ
なつかしいな
乙案

106

英軍空挺部隊 Bセット
カートにて運搬中
ダイゴロー
チャン
1/35

月刊アーマーモデリング2015年8月号（No.190）
（特集）戦車模型ちょい＋たしレシピ／掲載

12.8cm Flak40少女
かと思ったら花火師だった
友人の
久我山さん
艦●れ
でもない

月刊アーマーモデリング2015年9月号（No.191）
（特集）日本軍戦車の組み方、塗り方、仕上げ方／掲載

後ろにいる久我山さんのベストは実物を思わせるデザインです

タコムから12.8cm連装高射砲 Flak40のキットが出た勢いでこうなった。特集が日本軍戦車ということなので、我らが久我山さんも友情出演である。
「ツヴィリング〜一緒に連合軍の爆撃機墜とそうぜ〜」

そういえばこの没案が後に復活することになるとは。

A

対空自走砲で
カトリーヌ
モスキートを撃ち
おとすぞ
やれー
ももも
不許可

107

またしてもマスターボックスからニューヒロインが登場〜

マスターボックスのオリジナル（？）展開フィギュア、『デスエンジェル』。この辺のシリーズは何点も続いているけど売れ行きは良いのだろうか。
何だか分からないけどとりあえず軽音部のドラムの子がまた不憫な目に合っていることだけは分かる。

B

特集：ドイツ連邦軍
次峰
レオパルト2少女
行きます!!
ゴゴ
ゴゴゴ
乙案

108

V2!
V2!
ゴー
ですえんじぇる
曲がっちゃった！
日本車の
板バネなんかで
作るから……

月刊アーマーモデリング2015年10月号（No.192）
（特集）ドイツ連邦軍アーカイブス／掲載

Theダメージモデリング
精神的
STZ-5
スターリネッツS-65
ヴォロシロヴェッツ
コミンテルン
大枚叩いて超マイナー車両のガレージキットを買ったのにまさかまさかのインジェクションキット化連発!
やめろ そのネタは俺にも効く

月刊アーマーモデリング2015年11月号(No.193)
(特集)THEダメージモデリング／掲載

その犠牲的精神がプラスチックモデル開発を支えてきました!

特集絡みネタだけど、なぜかダメージ表現が精神世界に向かっていった。逃げちゃだめだ。
というか、ソ連軍牽引車輌のインジェクションキットが次々に発売される未来なんてそうそう予想できないよ。

B

特集:ダメージ
原案
高価なガレージキットを買ったのにまさかのプラモデル化!!
ドマイナー
ソ連軍トラクター
それは精神的ダメージだ

109

ミス戦車だとそうでもありませんが、ミス・タンクだと違う響きに?

『コンテストに行こう』特集。
確かにAFVの会などに参加すると、他の方の素晴らしい作品に刺激を受けて、帰りに模型屋でキットを衝動買いして積みが増えるんだよなあ。作れよ!
それはそれとして「違います!」と言わせたいがために阿武隈さんを連れてくるな。

B

オイちゃん
乙案
別名、ビッグ・ザ・150トン

110

特集:コンテストに行こう
んん? 違いマス!
ふおおおお、
ミス戦車

月刊アーマーモデリング2015年12月号(No.194)
(特集)観て、見せて、学ぶ。コンテスト&展示会に行こう!／掲載

二人姉妹の妹の名は“みほ”である確率が高いです（担当の感想です）

嵐馬破天荒を覚えているのもは幸せである……かなあ？
往年のファンロード読者ならご存知の天才投稿者だけど、
ネタの汎用性が高すぎて今でもパロディで使ってしまう。
そしてここでもハンガーヌンチャクネタを使ってしまう
ワンパターンな俺だった。

B
不許可
ガルパン劇場版観てきた
大洗
やりすぎだ
莫迦!!（ほめ言葉）

劇場版ガルパン わかりやすいあらすじ
お姉ちゃん
みほ!!
福田がハンガーヌンチャクを握った!!
わからん
ぎらり☆
リンゴの詩

月刊アーマーモデリング2016年1月号（No.195）
（特集）大切なのにいまさら聞けない！ スタンダードテクニック大全集／掲載

111

これ、版権許諾いるのかなぁ……（ちゃんと許可いただきました）

ガルパン劇場版の熱気で今月も勝手に便乗である。特集も英軍戦車なので、当然イギリス即ダージリン様である。普通に綺麗どころな扱いなので、きっと大丈夫でしょう（何がだ）。
それにしても、去年のことを言うと鬼は怒ったりするんやろか。

新年のひとこと
こんなことわざがあるわ
「来年のことを言うと鬼が笑う」
早いなぁ

月刊アーマーモデリング2016年2月号（No.196）
（特集）ブリティッシュ タンク ミュージアム／掲載

112

どれにもハナさんが出演しているのが共通点ですね

ガルパン特集なので当然のように（勝手に）ネタにしている。とはいえ、ネタ的には「馬鹿が戦車で」はド定番というか誰もが考えるもので今更感もあるので、さらに金田一さんっぽくしてみたり悪あがきをしているあたり微笑ましい（そうかな？）。

華さん怒れば
タンクを撃破！
総天然色♥
と〜
ぷ〜
ジェリコのラッパ？
みほが戦車でやって来たりて笛を吹

月刊アーマーモデリング2016年3月号（No.197）
（特集）ガールズ&パンツァー 劇場版 戦車大作戦／掲載

B

原案
みほが戦車でやって来る

113

白熊とペンギンが大自然で遭遇することはないんだそうな

フィンランド特集→北極圏→ホッキョクグマ→球磨って、何段階捻ろうとしてるんだ。ヒネり王子かよ。そもそもフィンランドにホッキョクグマはいないだろうと。さらには「継続」からタイガーマスク二世に持っていくその強引さ、強引ヒネり王かよ。国が亡びるぞ。

A

乙案
フィンランドの特集？
オレ様の出番だな
ちがいます
あなたスウェーデン
何者なんだ

114

特集
継続戦争
力が継続ではない
継続こそ力だクマ！
ポーラベアーマスク二世

月刊アーマーモデリング2016年4月号（No.198）
（特集）フィンランド奮闘の3年2ヶ月 継続戦争／掲載

だからもーっと道具に頼っても良いのよ？
道具にたよったって
いいじゃないか、
趣味なんだもの
あまも
AM

本当は弘法大師も筆を選り好んだとかいいますよ

特集絡みで道具に頼っても良いのよ？
魔砲少女四号ちゃんっぽい格好してるけど、第六駆逐隊の子だよねキミ？ 前回に続いてなぜ「艦これ」風味なのか。

なんにしても趣味なんだから道具に頼ってどんどん楽をしたら良いんですよ。テイクイットイージーですよ。

月刊アーマーモデリング2016年5月号（No.199）
（特集）ウェザリングマテリアルの使い方／掲載

115

おかげさまでAMも200号達成。わーい、勲章もらっちゃったー

早いもので『月刊アーマーモデリング』200号記念。
ほんの62ページ程前で100号記念だった気がするが……
ということで、ミリタリーミニチュアシリーズNo.200のヴェスペ登場。T-200とかM200とかSd.Kfz.200とか残念ながら無いんだよなあ。Fw200は空軍のデブ（P5参照）が許さないだろうし。

A

200号おめでとう
原案
200
次は300だ

116

200号
よくがんばりました
200

月刊アーマーモデリング2016年6月号（No.200）
（特集）陸自模型の遊び方 実車も模型もMade in Japan／掲載

かのテレビ番組も遠くになりにけりですなぁ

６月発売の号なのでこういうのも時節ネタである。
当時の担当さんに「これって元ネタは何ですか？」って聞かれて「ざわ……」となった思い出。
キャラは初登場の戦車少女I号指揮戦車さん。戦車少女の同人誌ではドイツ軍中央軍集団の前線部隊リーダー的存在だ！

B

塗装ができない…
乙案

117

モスクワに行きたいかぁぁ!
オォォォ
どんなことをしても行きたいかぁぁっ!
ルォォォ
第2回
史上最大!
東ヨーロッパ横断ウルトラ大作戦
1941年6月下旬開催予定!

月刊アーマーモデリング2016年7月号（No.201）
（特集）モデルズ・イン・アクション『ガールズ&パンツァー 劇場版』／掲載

筆塗りの兄より塗装がうまいエアブラシ使いの弟～（それはまた別人やで）

特集絡みネタ。
北塗装拳って何よ。あとトキさん（偽物）とあるけど、そもそもキミ神通さんじゃろ？

なお自分はエアブラシも筆塗りもどちらも良い点があるので両方好き派。ラブコメの主人公みたい。

A

どいつもこいつもエアブラシ!!
どうしてこの筆塗り様を認めないんだ!!
北塗装拳
アミ さん（偽者）
採用

118

どいつもこいつもエアブラシ塗装!
なぜヤツを認めて筆塗りを認めないんだ!?
北塗装拳・伝承候補
トキさん（偽者）

月刊アーマーモデリング2016年8月号（No.202）
（特集）エアブラシで塗らないとダメですか!／掲載

夏らしい
可愛い
ダンスだってうまいぞ
フィギュアを塗ろう!
AFRIKA

月刊アーマーモデリング2016年9月号(No.203)
(特集)フィギュアを塗ろう!／掲載

夏といえばDAK。DAKといえば水着でしたっけ？　うん？

これも特集絡み絵。今回の水着アフリカ軍団子ちゃんは日焼けしてないけどこれはこれで（結論：何でも良い）。ちなみにコレを描いた時は前回（2014年8月号）の絵は完全に忘れてた。
それにしても、「ダンスだってうまいぞ」の元ネタって何だったかなあ。彼デリ？

A

フィギュアを塗ろう
せっかくなので夏らしく
原案

119

模型製作の行き詰まりは、違う模型を作って解消です！

これは季節ネタといってよいのか。
じっくり腰を据えて作るのももちろんアリなんだけど、たいていは最初の勢いのまま完成させないとグダグダになっちゃうんだ。特に自分のような凡人は尚更。
プラモはスピードだ！（乱暴なまとめ）

120

モデラー心と秋の空
あーっ！また新しいプラモ作ってる！
前のやつ完成してないのに
新製品なんだよ
気分転換だよ
あきたんだよ

月刊アーマーモデリング2016年10月号(No.204)
(特集)世界のMBT／掲載

ビッグショット
タミヤからビッグショット？
（53年ぶり2回目）
ちゅどーん
砲架を流用してロングトムを作ろう
うわーっまた出来もしないことを
普通に作れ普通に！
牛丼モード

少年時代の妄想の実現！　夢もふくらむというもの

ビッグショット世代とはちょっとズレるので思い入れは特別強くはないけれど、やはりこういう大砲むき出しの自走砲は男の子って感じだな。
個人的にはM107くらい無茶してる奴が好き。

月刊アーマーモデリング2016年11月号（No.205）
（特集）履帯攻略大作戦／掲載

121

マスターボックスが送り込む新たな刺客にメロメロです

発売当時何かと話題になった1/35メイドフィギュア。
単品以外だと中々使いどころに困るアイテムではある。
秋葉原の街角を再現するとか自衛隊基地際でミリタリーメイドのコスプレして撮影してる様子とか……？
いっそのことメイド姿でサバイバルゲームをする設定のフィギュアにすればかなりイケたのでは？（根拠なし）

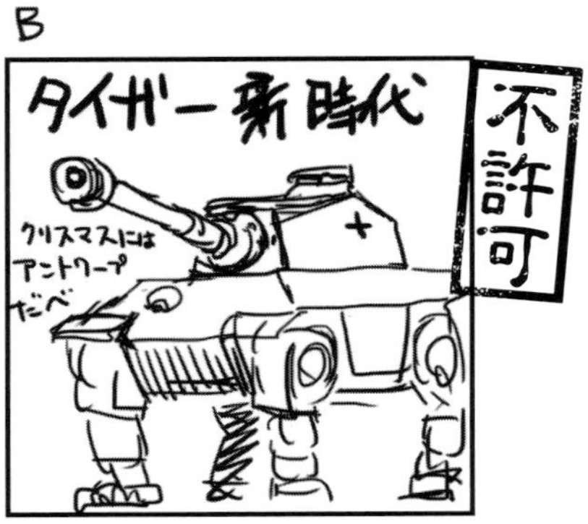
B
タイガー新時代
不許可
クリスマスにはアントワープだべ

122

フィギュアII新時代
モモコだよー
ナナです
1/35メイドフィギュア登場
萌えを取り入れたボディ

月刊アーマーモデリング2016年12月号（No.206）
（特集）ティーガーII新時代／掲載

エアブラシ修得特集
エアブラシはエアギター的なものじゃないぞ
戦車カラー

月刊アーマーモデリング2017年1月号（No.207）
（特集）エアブラシ修得真書／掲載

エアモデルも勘違いされることがありますよ

「飛行機モデラーをエアモデラーと呼ぶとエアギター的な意味に誤解されないか？」という発言をネットで見たけど、つまり在庫を積どくタイプの戦車モデラーの場合エア戦車モデラーであり、空挺戦車か飛行戦車が趣味のモデラーということになる。
飛行戦車ってなんだよ。

A

エアブラシ特集!!
エアギターみたいなものと思っているのかな？
原案

123

これだけはといいつつ、かなり上級者向けなんですよネ（担当には無理です）

何やら変なノリの鏡餅戦車。新年にいかが？（困る）
そういえば本家の『これだけは作ろう』でＭ３中戦車の鋳造車体を作るってのがあったなあ。パテ等で裏打ちをして車体全体を削るという見るからにかなりの大改造で、全国で何人くらいの猛者がアレを作ったのか。

B

2017とりどし！
乙案
鳥戦車
なんだそれ

124

REMODELING IN KAGAMI-MOCHI
これだけは 作らない 2017
1/35 M3 "LEE"
鏡餅戦車 ＜実車について＞敵潜水艦に輸送艦を沈められ補給の途絶えた南方戦線の将兵が、砂浜に遺棄されていた鋳造車体のM3中戦車とヤシの葉で作った鏡餅風戦車。
餅が手に入らない状況でもせめて正月気分を味わいたいという想いが伝わります。
（民明書房刊「世界の珍戦車・奇戦車」より）
ハリボテ橙
X6
オレンジ
車体全て
XF2
フラット ホワイト
砲は全て外されていました
謹賀新年
※もちろんフィクションです。

月刊アーマーモデリング2017年2月号（No.208）
（特集）AFV塗装の光と影／掲載

この重箱の片隅をつつく
この時期のキングタイガーのこの部分のボルトの数がだねェキミぃ
あっちゃー

月刊アーマーモデリング2017年3月号(No.209)
(特集)実践! ダイオラマ作りのABC／掲載

長尺版『この重箱の片隅をもっとつつく』もよろしく

ネット上の模型界隈で定期的に話題になる「この重箱の片隅をつつくおじさん（仮称）」。幸い自分は今までに直接遭遇したことは無いけど、そもそも近年は完成品が無いので遭遇するわけないのだった。
タイトルに「戦車モデラー」とあるのに、作者がそれで良いのかね？　シベリアで積みプラモを数えたまえまえまえ（残響音含む）。

A

ダイオラマ作りのABC
ABCくらい知ってろよ
それだけー
じゃ困りますよ
乙案

125

雪が溶けたら彼らが芽を出したと（撤退時に隠したやつ？）

「こんな土筆が生えてくる堤防土手は嫌だ」と言いたいところだけど、兵器不足の大戦末期に元手無しで兵器がスーッと入手できてこれは……ありがたい。しかし通年収穫できないと嬉しくないか。
昔は土手で土筆を採ってきては夕食のおかずにしたものだけど、最近は駄目なのかな？　ツツジの蜜を吸ったらネット炎上するし。

A

土手につくしを見つけました
春はすぐそこですね
原案

126

土手につくしを見つけました
春はすぐそこなんですね

月刊アーマーモデリング2017年4月号(No.210)
(特集)錆と傷　プラスチックを鋼鉄に変えるテクニック／掲載

特集
ロジーナちゃん
1941年型
（ウラル戦車工場製）
ソ連戦車少女に学べ！
何を…？

月刊アーマーモデリング2017年5月号（No.211）
（特集）戦車模型はソ連戦車で学べ／掲載

1942年型になると砲塔のハッチが丸いふたつに！

ソ連戦車少女に学ぶ……何だかわからんが手取り足取り教えてほしいにゃ〜。←ロクでもない目に合うフラグ。なお、このロジーナちゃんはどことなく吉崎観音風味でかわいい（自画自賛）。

A

ソ連戦車に学べ
私に学ぶが良いわーー
T-34少女
ロジーナちゃん
採用

127

年をとると大スケールを作るようになります（老眼のためー）

最近は3Dデータ原型のフィギュアはスケール違いで同じポーズを出すメーカーもあるので、このカットは先見の明があると思うのは言い過ぎだろうか。言い過ぎです。すみません。

B

今年のゴールデンウィークは
積みプラモをいっぱい
完成させたぜ!!
不許可
と、日記には
書いておこう!!
ま、いーか!

128

特集
フィギュアステップアップ
どやぁ
それはスケールアップだ
しかもでかっ

月刊アーマーモデリング2017年6月号（No.212）
（特集）フィギュア ステップアップ講座／掲載

アナタの工作は間違ってる？
いまごろ間違いだと言われてても手遅れだ！
俺はずっとこれでパーツを切ってきたんだ！だから、これが一番いいんだ！
模型用の爪切り型ニッパーを買ったら……？

月刊アーマーモデリング2017年7月号（No.213）
（特集）アナタの工作は間違っている!? ―組み立て方最前線―／掲載

六鹿《なんとか》先生の戦場模型まんが（?）シリーズが読めるのは……

「あなたの工作は間違ってる？」という見出しを見ると懐かしの『あるある大事典』を思い出し、メインテーマまで脳内再生される。最終的にはデータ捏造が発覚して大騒ぎにならないよう気を付けたい（社会派）。
慣れた工具は自分を裏切らないのだ。

A

あなたの工作は間違ってる？
失敗したらシートかぶせたらええんじゃー
それはアカンやつだ
不許可

129

さぁ2017年後半行ってみよー！
未完成～
げえっ？もう7月？

月刊アーマーモデリング2017年8月号（No.214）
（特集）材質別表現の神髄！　鉄・木・ゴムなどの質感を工作と塗装で再現／掲載

ほんと、半年1年があっという間に過ぎていきますなー

「後半」と聞くとドリフを思い出す世代なので清華女子高校っぽい生徒さんに登場願ったよ。本当は、いかりやさんだと良いのだけどいないからな。
それはともかく、このコメントを書いている今この時も「もうすぐ今年も半分終わってしまう……」とドキドキですよ。ポヤッチオですよ。

B

さぁ二〇一七年後半戦行ってみよー
えっ？もう
未完成
原案

130

夏のお供に
シュトルムシュヴァイン
モスキートを
撃墜できる
対空自走砲よ

それは伊号潜水艦による日独技術情報交換の賜物か!?

【シュトルムシュバイン】
対モスキート用特殊煙幕発射器『シュバイン』は戦後に電子戦バージョンが開発された後も、生産コストの安さとメンテナンスの容易さが高く評価され今も生産が続くロングセラー兵器である。
それを自走砲化したものが本車だが、車体が豪華すぎるため生産数は少ない。(『世界の珍兵器奇兵器』より)

月刊アーマーモデリング2017年9月号(No.215)
(特集)AFVモデル的現代建築学／掲載

131

じつは箱根細工にヒントを得て作り出した民芸品なんだとか

ミニアートあたりが情景小物セットにマトリョーシカを入れても良さそうだけど記憶にない。サモワールなどは『東欧の家財道具』セットに入っていたはずだけど。
入れ子構造だと面白いんだが、1/35スケールだと流石に無理があるなあ。3Dプリンターでも厳しそう。

132

ソビエト村人セット
BigAnt
4649
MATRYOSHKAS SERIES
KOKONI ROMA JI DE IROIRO KAKU TO
MONO SUGOKU 70 NENDAI PPOI
HAZUKASIKUTE SINERU
SCALE
1:35

月刊アーマーモデリング2017年10月号(No.216)
(特集)2色迷彩塗装完全マニュアル／掲載

私は恵那メル！
エナメルを自在に
使いこなす女
ズバァァー!
だ〜からは〜やく〜
一心〜不乱〜
エナメル
エナメル
エナメル
拍虎

乾きにくさを手のうちにできればこっちのものです

こちら、どうせ単発キャラだろとかなり雑なキャラデザとなっております恵那メルさん。酷い！
この右下の歌詞みたいなの何だっけと記憶をたどったら、黒●事のOP曲「ENAMEL」の一節だった。そういうところばっかり力を入れおって……（他人事のような物言い）

月刊アーマーモデリング2017年11月号（No.217）
（特集）エナメル系ウェザリング塗料を使いこなす!／掲載

133

これはこれで迷彩効果抜群な気がしますネ

紅葉三色迷彩はカラーだと綺麗かも。漆を塗って金箔をふりかけた匠の技仕上げはどうだろうか。ペリスコープのガラス部分は螺鈿細工か水晶はめ込みで。
ネットで話題になったロシア伝統のホフロマ塗り戦車もあることだし、和風工芸戦車もやろう（言い出しっぺがやるのだぞ？）。

新型迷彩
紅葉三色迷彩
（金ラメ入）
カラーでお見せできないのが残念です

134

月刊アーマーモデリング2017年12月号（No.218）
（特集）日本軍戦車キット最新事情／掲載

特集 失敗しない汚し塗装
汚し塗装？その前に年末の大掃除でしょ？
少しでも汚れが残っていたら朝まで便所磨きだぞ
汚しより掃除

月刊アーマーモデリング2018年1月号（No.219）
（特集）汚し塗装 成功の法則／掲載

日本海軍では偉いさんが素手で便器を触って点検したとか

年末の大掃除をしていないと責められた時に
「こ、これは掃除をしたんだが、その後にリアルな汚し塗装をしただけじゃ」
と言い訳して怒られる。2点。

A
汚し塗装特集!!
バァアン
汚し塗装より大掃除だろー
ひぇ！
原案

135

初日の出ツーリング用のマフラーにもご利用いただけます

1/35年末年始小道具セット（妄想）の門松。売り文句は「スライド金型を使って、開口部も忠実に再現！」だ。本当は一番長い竹は別パーツにした方がディテール再現度は高くなるけど、一枚絵としてはこのほうが門松だと分かりやすいので敢えてこうした次第。
こう見えてちゃんと考えているんですよ（嘘ください）。

A
Ⅳ号駆逐
正月仕様
不許可

136

1/35 お正月セット
2018
ほぉ

月刊アーマーモデリング2018年2月号（No.220）
（特集）ガールズ&パンツァー最終章 戦車模型大作戦／掲載

シュトルムシュヴァイン
(2017年9月号)
立体化進行中！
季節外れ！
ワンフェス2018冬(2/18)
8-16-19にある予定!

月刊アーマーモデリング2018年3月号(No.221)
(特集)戦車模型的エアブラシ活用術／掲載

好評につき完売したそうです！(よね、先生?)

対モスキート特殊煙幕発射器『シュバイン』がまさかのキット化（ただし自分で）！　T社のストームタイガー（1/35）に取り付け可能なアタッチメント付きなので、シュトルムシュバインも再現できるのも嬉しいポイント。

A
不許可
さては去年ひとつも
完成させてねーな
テメーー
言っちゃダメ.

137

湿気とにらめっこする“春の嵐”作戦もあります

一応特集の「泥・土・埃」の泥からの連想だけど「春の目覚め作戦」は失敗しちゃうからなあ。

それにほら、冬に暖房入れると睡魔がね……
とかいちいち言い訳しているから子ども電話相談にだね（次回へのヒキ）。

138

“春の目覚め”作戦
3月になり、部屋が暖かくなってきたので
模型を作り始める気分が高まってくるのだ！
ふ〜ん
……?
暖房を入れたら
いいのでは……?
(細部考証)
※バラトン湖の泥沼にハマって作戦は失敗します

月刊アーマーモデリング2018年4月号(No.222)
(特集)ウェザリングの王道 泥・土・埃／掲載

わかっちゃいるけどやめられないのです（買うのが趣味～）

「なぜ作らないプラモを買うのか？」
この古代ギリシャから続く哲学的な問いの答えは未だに出ていないのだ。みんな悩んで大きくなった。俺もお前も大物だ！
それにしてもこの質問者の疑問は全く解決していないが少なくとも買えば業界のタメにはなるから良いのだ！

B
Q.
主婦Aさんから「主人がプラモを沢山集めてて困っています何とかならないでしょうか」
A.
なんともなりません
女遊びするよりいいでしょ
乙案

139

こども電話 お悩み解決Q&A
おとーさんはどうして作りもしないプラモを買うんですか？
やかましい！俺のケツを舐めろ交信終了！

月刊アーマーモデリング2018年5月号（No.223）
（特集）お悩み解決Q&A／掲載

まぁ、サビ表現による“侘び”も模型には必要なんですがね

特集が錆表現なので寿司のサビなのはいいとして、なぜこの二人なのか。特集に北海道は特に関係ないしただの思い付きかと思ったら、スカーフェイスの男からのザビ家次男という繋がりらしい。
あと女の子のマタンプシが阿葉山さんで噴いた（自分が仕込んだネタを忘れて自分でウケる安上がり作家）。

140

特集「サビ」
かーっ！効いてんなあ！
そのサビじゃあねえよ！
無敵
呉寿司

月刊アーマーモデリング2018年6月号（No.224）
（特集）サビサビ模型のススメ／掲載

テルテル=ボーズM44型
大戦末期に登場したタイプで
布の質や縫製が悪化している。
「国民の嵐」を発生させる。
やは上様～
CHER VOLKSSTUR
WEHRMACHT

月刊アーマーモデリング2018年7月号（No.225）
（特集）いま作るべきはティーガーI重戦車／掲載

くじけませんよ、男の子ですって言ったら、今日び問題に？

質の悪い布地のてるてる坊主。敗色が濃くなったことをひしひしと感じますね。テルテル＝ボーズM39なんかは良い生地使ってカッコよかったんでしょうなあ。
とりあえず言っておきたいのは「“国民の嵐”って何だ。俺は燃料を待っているんだ」ということであります。

A

このビネットのキノコ
超リアルじゃん
何で作ったの？
本物が
生えてた
乙案

141

あーこれ、水鉄砲とシャボン玉になってるんだー（突っ込むのそこ？）

愛と正義の美少女水着戦士いきなり登場。水特集だから水着なのは当然なので問題ない。額にも「水」と書いてあるし（雑な言い訳）。
しかし水鉄砲をカンプピストル風にして「ミリタリーでござい」と言い訳するのはさすがに悪あがきでどうかと思うね、僕ぁ。

142

特集 水
水
Seifenblase
Spruhen!!
ぽわ
ぽわ
ぽわ

月刊アーマーモデリング2018年8月号（No.226）
（特集）THE 水 WATER EFFECTS for AFV Modeling／掲載

16式機動戦闘車
超妄想モデリング
装甲スカート：
成形炸薬弾を防ぐ
小指：弱点
すね毛：スラット装甲の一種

通常は多脚式になると未来的外観になるはずなんですが

16式機動戦闘車８脚バージョン。
すね毛の生えた足を取り付ければとりあえず一定のウケが得られるだろうという姑息な狙いらしい。
ちなみに2016年の『タイガー新時代』特集号での没案が４脚ティーガーの絵だった（ただしメカ脚）。もう全く進歩が無い。そういえば女の子を描き忘れているなこれ。

月刊アーマーモデリング2018年9月号（No.227）
（特集）タミヤ1/35MMシリーズ 16式機動戦闘車モデリング大作戦！／掲載

143

シリーズ開始時に子供だった人は還暦を迎えているわけで……

MMシリーズ50周年！
かく言う自分もほとんど同い年なのだ。とはいえ、本格的に始めたのは艦船模型からなので、戦車モデラー歴はもっと短いし、最近は積んでゆくばかりなんだけど。
では次はMM100周年で！（長生き）

乙案
これだけは作ろう
《MMシリーズ50周年ケーキ》
エッチング
情景スプレー
パテ
食べられるのを作れよ!!

144

MMシリーズ50周年
うわっ……俺の年齢と同じすぎ……!
こういうモデラーさん多そうね♥
むぅ

月刊アーマーモデリング2018年10月号（No.228）
（特集）タミヤ1/35MM50周年大特集／掲載

あとがき

なんとかなんとか

普段『読者の声』ページに載っているあのサイズと比較してかなり大きめに収録されるということで、粗が目立つのではと心配したものの、そういえば「こんなこともあろうかと」当初から少し大きめサイズで描いていたので、心配したほどではないのかも？　とはいえ、あくまで何かのおまけページ程度で考えていただけであって、このカットをメインにした本を作るというのは流石に想定外すぎですよ？

あと、描いた本人がカット内容について説明するというのはひょっとしたらカッコ悪いことかもしれませんが、作者自身も忘れていることも多く、推理するのも面白い経験でした。

絵描きとしてはメカも女の子も描ける、いやイラストも立体造形もできる万能戦闘機を目指したものの、その類の戦闘機の例に漏れず、全ての要素が中途半端な駄っ作クリエイターになったと自負している自分ですが、こうして長くカットを描かせてもらってる上にそれをまとめて本にしていただけるというのは身にあまる光栄です。感謝しかありません。

それでは第二巻で会いましょう！（あるのか？）

著者

六鹿文彦（なんとか・ふみひこ）

昭和の後半、愛知県に生まれる。
模型関係の仕事に就きたいと思っていたが、成り行きでゲーム業界に進み、シューティングゲーム『ソニックウィングス』シリーズのキャラクターデザインやデモ演出全般、兵器類選定などを担当する。ゲーム業界最後の作品『すくすく犬福』では、企画者としてゲーム一本丸々を任されたので、本当に好き勝手に作ったら一定の評価を得る（全体のノリはこの本と似ている）。

現在はアーマーモデリングでカットを担当するほか、ミリタリー系雑誌で艦船や陸戦もののイラストを執筆中。

著書に『脱走急行』全二巻（初版はラポート。現在は大都社刊）がある。

わかる人にはわかる。

わからない人のための カバー美女紹介

『月刊アーマーモデリング』2021年4月号【巻頭特集：戦車を彩る魅惑の砂色 激闘の北アフリカ大機甲戦】で、彗星のごとくデヴューしたロンメルさん。表題の通り、第二次世界大戦における北アフリカ戦線の戦いをわかりやすく解説して話題となった（カラーでお見せできないのが残念）。その人気にあやかって本書カバーにも登場。今後のご活躍も期待されます！

※なお、『月刊アーマーモデリング』は毎月13日発売です!!

1940年6月
イタリアの宰相が
時に野心を抱き
アフリカ征服を夢見た時
イタリア参戦!!
勝ち馬のドイツに乗ったるでぇ
イギリスはヨーロッパ大陸から撤退、フランスもドイツに降伏寸前……と連合国の敗北を確信したイタリアの宰相ムッソリーニは、エジプトから英国を排除して、北アフリカに一大植民地を築くことを目論んで第二次世界大戦に枢軸国側として参戦！
イタリア領リビア
イタリア領東アフリカ
3分でわかる！
（※効果には個人差があります）
北アフリカ戦線
ざっくり解説していくにょ！
作/画：六鹿文彦《なんとかふみひこ》
北アフリカ戦線がどのような推移をたどったのか、ざっくりとまとめてみた。
ロンメル将軍
（女体化のすがた）
1940年6月のフランス戦で名を挙げた若き将軍。北アフリカ戦線での大活躍で「砂漠の狐」と呼ばれるようになるぞ。
「宇宙の狼」じゃないぞ。
1940年9月〜
ギャー!!
ドドーン
即オチ2コマ
イギリス軍がナンボのもんじゃい！
ヒャッハー
連合軍進撃ルート
リビア
エジプト
エル・アゲイラ
9月にエジプト侵攻したイタリア軍、最初はイケイケだったが、連合軍が12月に発動した「コンパス作戦」で大損害を受け後退、領土拡大どころか植民地を喪失する寸前の危機に陥ってしまった。
1941年3月
ズルイッ
まだ我々の移動フェーズ中なのに！
トブルク
うおーー
「防衛」を任されたロンメルだったが、連合軍に攻勢計画が無いと見るやアフリカ軍団を出撃させて連合軍のトブルク要塞に進出！　イタリア軍にトブルクを包囲させたまま、自分はさらにエジプト方面に進撃した。
トブルク
メキリ要塞
リビア
エジプト
枢軸軍進撃ルート
1941年2月
だが戦車師団が
2個だけぞなぁ
アフリカ軍団
イタリア軍が北アフリカで敗北すると地中海の制海権喪失に繋がってしまう。ヒトラーはイタリア軍を支援するためにドイツ・アフリカ軍団を編成、北アフリカに派遣することを決定。指揮官はエルヴィン・ロンメル将軍。
トブルク
バルディア
メキリ要塞
リビア
エジプト
エル・アゲイラ
戦車を彩る魅惑の砂色
激闘の北アフリカ大機甲戦
6
N.A.C
作品づくりに役立つ
知ってるか？北アフリカ？
■副官が見たロンメルの実像
もうひとつのオススメは、『ロンメル将軍―副官が見た「砂漠の狐」』ハインツ・ヴェルナー・シュミット、角川新書だ。
ロンメルが北アフリカに上陸した直後からロンメルに従い、副官としてその一挙手一投足を見ていた人物の評伝である。
ロンメルの有名なエピソード満載の古典的な本だけど、最新の監訳と解説が入ったことで、内容に客観性が増している。

Fantastical Imaginings of an AFV modeller

六鹿文彦の戦車モデラー的独り言
今日もなんとかやってます！

六鹿文彦の戦車モデラー的独り言　今日もなんとかやってます！

発行日　2021年8月29日　初版　第1刷

著者　六鹿文彦

デザイン・装丁　Kid,inc石塚健太郎＋鷲見未来
ＤＴＰ　小野寺 徹

発行人　小川光二
発行所　株式会社 大日本絵画
〒101-0054
東京都千代田区神田錦町1丁目7番地
TEL.03-3294-7861（代表）
http://www.kaiga.co.jp

編集人　市村 弘
企画／編集　株式会社アートボックス
〒101-0054
東京都千代田区神田錦町1丁目7番地
錦町一丁目ビル4階
TEL.03-6820-7000（代表）
http://www.modelkasten.com/

印刷・製本　大日本印刷株式会社

ISBN978-4-499-23325-5　C0076

内容に関するお問合わせ先：03（6820）7000　（株）アートボックス
販売に関するお問合わせ先：03（3294）7861　（株）大日本絵画